I weiß was i mach
i hops in de Bach!

Jürgen Kiefner

Gudrun Hetzel

I weiß was i mach i hops in de Bach!

Kehrer Verlag KG · Freiburg im Breisgau

© Kehrer Verlag KG, 7800 Freiburg i. Br.
Recherchen, Text, Illustration, Gestaltung:
Gudrun Hetzel, Diplom-Designerin, 7600 Offenburg/Albersbach
Fotografie: Jürgen Kiefner, Diplom-Designer, 7600 Offenburg/Albersbach
Reproduktion: Fotolitho GmbH, 7630 Lahr
Druck: Kehrer Offset KG, 7800 Freiburg i. Br.

1987 · ISBN 3-923937-48-2

Liebe Freunde!

Was Ihr hier vor Euch habt ist viel weniger ein Buch als ein Kamerad, der Euch durchs Jahr begleitet.

Und ein Jahr hat viel mehr Feste, als Ihr glaubt. Einige davon stelle ich Euch hier vor. Sie sind alle zum Mitmachen und Miterleben. Und wenn gerade kein Fest ist, dann probiert doch mal, ein Brot zu backen, oder laßt Euch entführen in die Welt der Sagen! Seid Ihr schon einmal bei einem richtigen Maskenschnitzer gewesen, der die gruslig schönen Fasnachtsmasken schnitzt, oder in der uralten Waffenschmiede der Ritter von Gerolseck, wo der Schmied noch heute an der Esse steht und mit riesigen Holzhämmern sein Eisen zu Schwertern und Lanzen klopft? Oder wußtet Ihr, daß sich einst Krokodile sonnten, wo jetzt dunkle Tannen rauschen?

Ich will Euch nicht länger auf die Folter spannen; schlagt das Buch einfach irgendwo auf, vielleicht im März, weil gerade März ist, und Ihr werdet soo viele Dinge finden...

Nur noch zwei Tips: wenn Ihr etwas Bestimmtes sucht, einen Abzählreim oder eine Muttertagsbastelei, so schaut doch mal hinten ins Inhaltsverzeichnis. Wenn Euch ein Thema besonders interessiert, das bei mir ein bißchen zu kurz gekommen ist, so seht doch mal in die Quellenangaben. Dort findet Ihr Spezialbücher zu den einzelnen Themen.

Und nun ganz viel Spaß!

Übrigens, wenn Euch das Buch gefällt, und Ihr findet, es müßte mehr von dieser Sorte geben, oder wenn Ihr eine Idee habt, was man unbedingt noch hineinbringen muß, dann schreibt mir doch mal nach Offenburg in den Albersbach Nummer 5.

Eure Gudrun

Mühlenbacher Neujahrslied

Die Kinder ziehen von Haus zu Haus und singen das Neujahr an:

Freut euch nun ihr lieben Leut'
es kommt eine neue Jahreszeit
es tritt ein neues Jahr herein
es soll sich freuen groß und klein.

Wir wünschen euch Glück in euer Haus
jetzt ist das alte Jahr aus.

Darauf antworten die Leute oben am Fenster oder auf dem Balkon:

Wir wünschen euch allen von oben herab
von oben herab euch allen mit'nander
ein neues gut's Jahr, euch allen mit'nander
ein neues gut's Jahr.

Die großen Neujahrsbrezeln aus Hefeteig galten in ganz Baden von jeher als Glück verheißende Neujahrsgaben.

Das braucht ihr zum Backen:

350 g Mehl	1/8 l Milch	20 g Hefe	50 g zerlassene Butter	3 El saure Sahne	2 Eier	40 g Zucker	1 Prise Salz	abgeriebene Zitronen- schale einer nicht behan- delten Zintrone.

Wichtig: Alle Zutaten zum Hefeteig müssen lauwarm sein. Holt also alles frühzeitig aus dem Kühlschrank. Von der Zitrone reibt ihr mit einer ganz feinen Reibe die Schale ab.

So macht man den Hefeteig: Mehl in eine Schüssel sieben, eine Mulde in den Mehlhaufen drücken, die Hefe zerbröckelt in die Mulde geben. 2 Eßlöffel von der Milch darauf gießen, etwas Zucker darüber streuen, Hefe, Milch und Zucker verrühren, ein bißchen Mehl darüber stäuben, die Schüssel mit einem Tuch abdecken und diesen Vorteig an einem warmen Ort 15 Minuten gehen lassen. Nach ca. 15 Minuten ist der Vorteig etwas aufgegangen und blasig geworden.

   Die übrigen Zutaten zum Vorteig in die Schüssel geben und alles ganz kräftig zu einem festen Teig kneten. Den Hefeteig wieder 15 Minuten gehen lassen.

Für eine einfache Brezel müßt ihr den ganzen Teig zu einer langen Wurst wellen. Bestäubt eure Arbeitsplatte und eure Hände zuvor mit Mehl, damit der Teig nicht daran klebt. Die Wurst muß nun so gerollt werden, daß sie in der Mitte am dicksten und an ihren Enden am dünnsten ist. Dann formt ihr die Brezel und legt sie auf ein gefettetes Backblech. Sie muß noch 20 Minuten gehen. Dann trennt ihr ein Ei in Eigelb und Eiweiß, bepinselt die Brezel mit dem Eigelb und backt sie ca. 25–40 Minuten bei 200 Grad.

Ihr könnt den Teig auch in 3 gleichgroße Portionen teilen, 3 Würste daraus rollen, die 3 Würste zu einem Zopf flechten und den Zopf zu einer Brezel schlingen.

Oder ihr nehmt eine kleine Portion vom Hefeteig ab, formt eine einfache Brezel, flechtet aus dem abgenommenen Teig einen kleinen Zopf und klebt ihn mit Eigelb auf die Brezel auf.

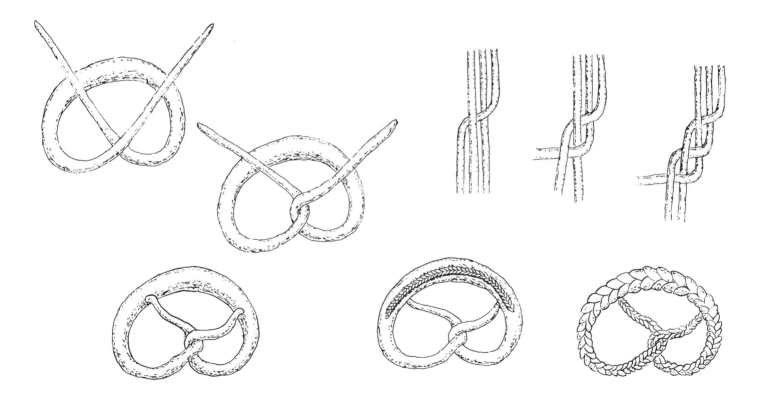

Auch am 2. Januar, dem Läuferlestag, gehen die Kinder von Haus zu Haus und tragen Glückwünsche
zum Neuen Jahr vor:

I bin ein kleiner Mann,
und wünsch Euch was ich kann.
Ich wünsch Euch so viel Glück
als Gott vom Himmel schickt.

Ich bin ein kleiner Knabe.
Ich wünsche, was ich kann.
Ich wünsch Euch Glück und Segen,
der Höchste wird's Euch geben.
Prost! auf das Neue Jahr!

I bin e chlei Bummerli
churz und dick
I stand im e Winkeli
un wünsch dr viel Glück

Neujahrswunsch des Wolfacher Nacht-
wächters:

Wohlan in Namen Jesus Christ,
das alte Jahr vergangen ist,
ein neues Jahr vorhanden ist,
ich wünsche dem Herrn...... und
seiner Familie ein glückseliges
neues Jahr!
Was ich wünsche das werde wahr,
ewiger Friede immerdar
Lobet Gott den Herrn!

Der Nachtwächter trug den Stern

Am Abend des 5. Januars erschienen die „Heiligen Drei Könige mit ihrem Stern." Es waren immer drei andere Singknaben vom Kirchenchor, „angetan mit Kronen und einem schneeweißen Hemd über ihrem Sonntagshäs" (den Sonntagskleidern). Der Stern aber war aus weißem Papier, das man in Öl getränkt hatte. Er hatte vier mächtige Zacken und in seinem Herzen einen Kerzenstummel. Ein Haslacher Nachtwächter trug ihn an einer langen Stange und bewegte ihn mit einer Schnur.

„Es war im Jahre 1849, da mich die Reihe traf, unter die 'heiligen Dreikönige' einzutreten. Die Mutter schickte mich zum alten Buchbinder Hinterskirch, damit er mir die Krone anmesse. Jeden Abend von Weihnachten ab hielten wir Singprobe. Dann wurde auch der Stern in Reparatur genommen, geflickt, gepappt und frisch eingeölt. Am Abend des längst ersehnten Tages aber kam der Louis, ein vormaliger Dreikönig, um mir das Gesicht zu färben. Er tauchte einen Korkstöpsel in Öl, schwärzte ihn am Licht einer Talgkerze und übermalte mir das Gesicht. Der Kaspar mit dem schwarzen Gesicht schritt stets in der Mitte seiner beiden Kollegen hinter dem Stern her. Vor jedem Haus sangen wir ein Lied, und wenn im zweiten Stock eine zweite Familie wohnte, wurde ein zweiter Sang losgelassen. Aus dem unteren Stockwerk brachten die Kinder des Hauses in einem Papier eingewickelt die Sängergabe – die Leute im oberen Stockwerk brannten das Papier an und warfen die Kreuzer und Groschen wie Leuchtkugeln zu den Füßen der 'heiligen Dreikönige.' Der 'Schwarze' aber, als der vornehmste, hob nie Geld auf; das besorgte einer der anderen. Wenn Könige und Stern den halben Lauf der Altstadt durchzogen hatten, kamen sie an das Haus meines Vetters Bosch, eines reichen Bäckers. Da wird seit alten Zeiten von den 'heiligen Dreikönigen' und ihrem Stern Einkehr gehalten. Der letztere wurde in den Hausgang gestellt und einstweilen gelöscht, den 'heiligen Dreikönigen' und ihrem Sternenträger aber am Stubentisch Wein und frischgebackene Brezeln serviert. Danach gingen wir den Häusern der Mühlenstraße zu. Gegen zehn Uhr war die Sternenfahrt der drei Könige zu Ende. Und dann ging's zum 'Dinderade', wie man den Bierbrauer vom 'Grünen Baum' nannte. Hier wurde das Geld gezählt und verteilt. Dieses Geld kam in die irdene Spardose und wurde später zum Kauf eines größeren Kleidungsstücks verwendet."

(nach Heinrich Hansjakob)
1837–1916

Haslacher Dreikönigslied

Ihr Hirten, erwacht vom Schlummer, habt acht!
Nach Trübsal und Leiden verkündet euch Freuden
der Engel, der fröhliche Botschaft gebracht,
der Engel; der fröhliche Botschaft gebracht.

Ihr Sünder, erwacht, die heutige Nacht
hat nach so viel Sorgen den goldenen Morgen,
den Heiland, den Heiland, den Mittler gebracht,
den Heiland, den Heiland, den Mittler gebracht.

O göttliche Zeit, die alle erfreut,
sie lindert die Schmerzen, sie wecket die Herzen
zum Danke, zur Liebe, zur himmlischen Freud',
zum Danke, zur Liebe, zur himmlischen Freud'!

Auf den Bauernhöfen im Schwarzwald, wo im Winter
noch Wolle gesponnen wird, stellt man an Lichtmeß
das Spinnrad beiseite:

> Lichtmeß, Spinnen vergeß,
> bei Tag zu Nacht ess.

Lichtmeß gilt als allererster Frühlingstag. Die Tage werden wieder länger.

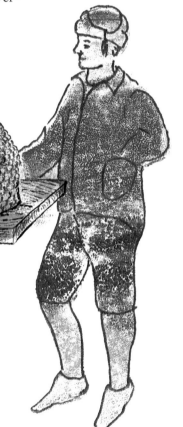

Den Bienen kündigt der Imker das Frühjahr
mit den Worten an:

> Immelein freut euch,
> Lichtmeß ist da.

Wenn's an Lichtmeß stürmt und schneit,
ist der Frühling nicht mehr weit.
Ist es aber klar und hell,
kommt der Lenz noch nicht so schnell.

Lichtmeß im Schnee,
Ostern im Klee

Mir gehn auf Bschau.

„Michel", sagte an einem Sonntag Nachmittag der Kaibebauer zu seinem „Ältesten". „D'Mueder isch dod, un mit fremde Wiebervölker huse, isch e Unglück für en Hof, s'muß wieder e Bäuerin her. Drübe im Gutachtal beim Waldbaschi stoht eine, die wär grad gmacht für e rechte Kaibebüre!" „D'Waldbaschi het zwei Töchter, Vadder, welle meinsch, daß'i hierate soll?" „D'Emerenz" antwortet der Vater. „Aber Vadder, d' Emerenz het so en Kropf." „Dumms Zeug" poltert der Vater „do, derfür gibt der Waldbaschi der Emerenz e paar tausend Mark mehr. Nächste Sonntig fahre mer nüber auf Bschau."

Der nächste Sonntag naht. Auf dem Hof des Waldbaschis wird geputzt und gescheuert. Beim Sandmann hat die Magd Scheuersand nachkaufen müssen, daß auch alles blitzblank geschrubbt werden kann.

Schon nähert sich vom Berg herab ein kleines Fuhrwerk dem Hof des Waldbaschis. Das Bauernhaus blickt mit der Frontseite ins Tal, die Rückseite kehrt es dem bewaldeten Hang zu. Es ist ein Fachwerkhaus mit tief gezogenem strohgedeckten Walmdach. Der Zimmermann hat einst mit seinen Leuten das Fachwerk aufgerichtet. Die Bretter aber für die Hauswände hat der Bauer selbst aus eigenen Bäumen auf der Hofsäge zugerichtet. Das Grundsteinmauerwerk wurde aus Feldsteinen und Lehmmörtel errichtet. Man baute den Hof mit ein paar Meter Abstand zum Waldhang, damit die Erdfeuchtigkeit dem Haus nicht schaden kann. Zwischen dem Waldhang und der Heubühne unterm Dach stellte man nun künstlich eine Verbindung her – die Auffahrt. So kann man das Heu direkt unters Dach fahren und braucht es nicht hinaufzuladen.

Da kommen auch schon die Gäste. Die beiden Rosse, die dem Fuhrwerk vorgespannt sind, wurden gestriegelt und geschmückt, und der Kaibebauer steigt mit seinem Michel in sonntäglicher Tracht vom Karren. Der Waldbaschi tritt ihnen entgegen, und sein Knecht kümmert sich um die Pferde.

„Du hesch aber e Mischte vor em Hus," ruft voll Bewunderung der Kaibebauer. Im Schwarzwald ist man stolz auf einen großen wohlgeordneten Misthaufen, das zeugt von Wohlstand. Voll Stolz führt der Waldbaschi die beiden in seinen Stall, das Vieh zu beschauen. Wie alle Schwarzwälder Bauernhäuser, so ist auch das des Waldbaschis ein Eindachhof. Das heißt, Wohnhaus, Ställe, Werkstatt und Heubühni sind zusammen unter einem Dach. Das hat viele Vorteile. Die aufsteigende Wärme von den Ställen wärmt die Schlafkammern, das Heu unterm Dach isoliert gegen Kälte und man kann beim ärgsten Sauwetter trockenen Fußes von der Küche in den Stall gelangen. Die Heubühni aber ist ja die Futterkammer für das Vieh. Da sie sich gerade überm Stall befindet, braucht man das Heu nur hinunterwerfen und drunten an die Tiere verteilen. Der Kaibebauer begutachtet alles und klopft der einen oder anderen Kuh auf den Hintern. Die beiden Bauern unterhalten sich lebhaft über die Viehpreise. Nachdem auch die Holzpreise gründlich besprochen sind, findet man endlich den Weg in die Stube. Die Sonne scheint durch die kleinen Butzenscheiben, die unverkittet in den Holzstreben sitzen. Bandartig reihen sich die niedrigen Fenster aneinander und setzen sich übers Eck fort. Unterhalb der Fenster befindet sich die lange Holzbank. Vor ihr steht der Stubentisch mit wenigen Stühlen. An der Wand zur Küche befindet sich ein gemütlicher Kachelofen, der von einer Holzbank umgeben ist. Hier sitzt man gerne und plaudert. Gästen dient dieser Platz als Nachtlager. Über dem Kachelofen ist ein Holzgestell angebracht, an das man gewöhnlich nasse Sachen wie Socken, Mützen und Handschuhe hängt. Unter die Bank stellt man Schuhe zum Trocknen. Auch wenn der Ofen noch nicht geheizt wird, ist es in der Stube nicht kalt. Woher kommt' s? Neben dem Kachelofen ist an der Wand zur Küche eine gekachelte Bank angebracht, – die Kunscht. Sie ist es, die an kühlen Herbsttagen die Stube wärmt; denn sie hat direkte Verbindung zum holzgefeuerten Herd in der Küche. Die Warmluft, die beim Kochen entsteht, wird durch die Kunscht geleitet. In der eingelassenen Vertiefung oben in der Kunscht, dem „Ofeloch" kann man obendrein noch Essen warmstellen. Die

Großmagd hat inzwischen eine Erfrischung gebracht und der Kaibebauer sitzt mit seinem Michel auf der Bank am Stubentisch. In der Zimmerecke über dem Tisch befindet sich eine kleine Andacht, – der Herrgottswinkel. Vor einem Kreuz mit dem leidenden Christi steht ein Väslein mit frischen Blumen aus dem Garten, ein Marienbildchen und eins vom heiligen Leonhard, dem Beschützer des Viehs. In manchen Höfen ist die Andachtsnische direkt in den Balken eingelassen.

Ganz verlegen kommen die drei Männer nun allmählich auf den eigentlichen Grund des Besuches. Der Waldbaschi sagt, die Emerenz sei ja noch so jung. Der Kaibebauer aber streicht die Vorzüge seines Michels heraus. Man wird endlich handelseinig, und der Waldbaschi ruft: „Emerenz, komm ri, s'isch Bsuch do." Schüchtern tritt die Emerenz herein.Der Waldbaschi fragt sie: „wie moinsch Emerenz, uf unserm Hof fehlt e Büre. Mir sin hüt uf Bschau und denke, mir werde nit unverrichteter Sach wieder heimfahre. Also sags grad ruß, hesch Luscht?"

„Sell min er mit am Vadder usmache!" Der Vater aber antwortet: „Nu, i han nüt dergege un denk, d'Emerenz wird au nüt i'zwende ha, wenn mer am Sonntig zur Bschauet uf de Kaibeburehof fahre." Somit ist die Verlobung geschlossen und das Mittagessen wird aufgetragen.

Das nächste Wochenende machen also der Waldbaschi und die Emerenz den Gegenbesuch auf dem Hof des Kaibebauern.

Ein typischer Schwarzwaldhof ist auch der Kaibebauernhof. Er ist an einem kleinen Bach im schmalen Tal gelegen. Die Hänge steigen mild an. Zum Hof gehört eine kleine Kapelle, ein Backhäusle und ein staatlicher Speicher.

Wie wohlhabend ein Bauer ist, erkennt man, wie gesagt, an seiner Miste und an seinem Speicher. Also besichtigen der Kaibebauer und die Emerenz als erstes das Speicherhäuschen, das etwas abseits vom Hof steht. Hier wird die Aussaat für 3 Jahre eingelagert. Zum Schutz gegen Feuchtigkeit stehen die Speicherhäuschen auf Pfählen oder haben ein Steinfundament. Ein tief heruntergezogenes Dach schützt gegen Regen. Im Speicher befinden sich nun zu beiden Seiten große „Fruchtkästen", in denen das Getreide, nach Art und Güte getrennt, aufbewahrt wird. An der Decke hängt eine Brothange. Darauf hält sich das selbstgebackene Brot über Wochen frisch, bis alle Laibe aufgezehrt sind und wieder gebacken wird. Gleich daneben baumeln die geräucherten Fleischwaren. Auf den Brettern an den Wänden lagern Hanf, Schafwolle und Viehhäute für Kleider und Schuhe. Das Salz wird in einem Säcklein aufbewahrt, das in einem besondes eingebauten Fach auf Holzasche liegt. Ganz hinten im Speicher befindet sich ein kleines Geheimfach. Darin werden Bargeld und die Rechtsurkunden aufgehoben. Der Speicher ist somit die Versicherung des Hofes. Denn schlägt drüben im Hof der Blitz ein, so hat man doch noch Saat, Nahrung, Kleidung und Bargeld, um neu anzufangen.

Der Waldbaschi ist es zufrieden. So macht man sich auf den Weg zum Stall. Weil man gerade an der Hofkapelle vorbei kommt, darf die Emerenz einen Blick hineinwerfen. Sodann lernt sie die Kühe kennen, die sie künftig zu versorgen hat. Endlich führt der Michel sie in die Küche. Wie alle Bauernküchen, ist auch diese sehr rauchig und vom Ruß schwarz gefärbt. Die alten Schwarzwaldhäuser kennen nämlich keinen Schornstein. Über dem Holzherd ist ein riesiger Rauchfang angebracht, in den man Schinken und Würste zum Räuchern hängt. Von dort sucht sich der nun schon abgekühlte Rauch seinen Weg durchs Gebälk im Obergeschoß. Der Vorteil ist, daß die Balken auf diese Weise gegen Holzwürmer und andere Schädlinge imprägniert werden.

Im Küchenschrank befinden sich ein paar irdene Krüge und Schüsseln, dahinter steht das Butterfaß. Dann zeigt der Michel ihr die Schlafstube mit dem Himmelbett und die Gesindekammern. Draußen vor dem Haus, vom Hausgang und vom Stall gleichermaßen leicht zu erreichen, steht der Brunnentrog. In ihm schwimmt eine Forelle. Schöpft die Magd hier das Wasser, so stellt sie immer zuerst fest, ob der Fisch noch zappelt, ehe sie das Wasser in den Eimer füllt. Man weiß ja nie, ob nicht ein Widersacher die Quelle vergiftet hat. Hinten auf demBrunnentrog sitzt das Brunnenhäusle. Das ist der Kühlschrank. Mit dem kalten Quellwasser hält man im Brunnenhäusle Milch, Rahm und Butter frisch. Zuletzt werden noch die Schweine- und Geflügelstallungen einer Besichtigung unterzogen, und dann wird drinnen in der Stube über den Ehevertrag verhandelt. In wenigen Wochen wirds nun ein großes Fest geben. Ob wir wohl auch eingeladen werden?

Das Backhäusle.

Bis heute wird auf vielen Höfen das Brot selbst hergestellt. Aus dem Getreidespeicher wird eine entsprechende Menge Weizen und Roggen entnommen und
dem Müller zum Mahlen gebracht.

Am Backtag ist die Bäuerin früh auf den Beinen. In
einer riesigen Teigmulde knetet Frau Feuerbacher den
Teig für zehn Laib Roggenmischbrot, fünf Laib Weißbrot für den Morgenkaffee und für drei Flammenkuchen.

Um 9 Uhr hat sie Feuer im Backofen gemacht. Hierzu
taugen Reisigbündel und Holzprügel. Um halb elf Uhr
ist das Holz niedergebrannt und der Ofen so heiß, daß
man darin backen kann. Die letzten Holzreste schiebt
sie mit dem nassen Besen zur Seite. Als erstes müssen
nun die Flammenkuchen in den Ofen. Wie der Name
schon sagt, bäckt man sie neben der restlichen Flam-

me. Sie brauchen nur 10–15 Minuten Backzeit. An der
Backdauer der Flammenkuchen liest man die Hitze im
Ofen ab und kann darauf schließen, wie lange die
Brote brauchen werden.

Ehe das Brot eingeschossen wird, muß der Backofen
mit dem nassen Besen sauber gefegt werden.

Der Holzbackofen hält sehr lange warm. Nach dem
Schwarzbrot und dem Weißbrot kann man getrost
noch Hefekränze, Kuchen, Schneckennudeln und anderes backen.

Herzhaftes Hausbrot.

Auch im häuslichen Backofen kann man Brot bak-
ken. Ein ganz besonderes sogar!
    500 g dunkles Weizenmehl, 40 g Hefe, 1/4 Ltr.
    Wasser, 1 Tl. Salz, Fett für das Backblech,
    1 große Zwiebel, 15 g Butter oder Margarine,

50 g Emmentaler Käse, 100 g durchwachsenen
Räucherspeck, 25 g gehackte Mandeln, 1 Tl.
gehackte Petersilie, Fett für das Blech, 1/2 Tl.
grobes Salz, Mehl zum Ausarbeiten und Bestäuben.

Einen großen runden Brotlaib formen, auf ein gefettetes Backblech setzen und noch eine halbe Stunde gehen lassen. Dann die Oberfläche rautenförmig ein-
schneiden, mit Wasser bestreichen und mit Salz und
etwas Mehl bestäuben.

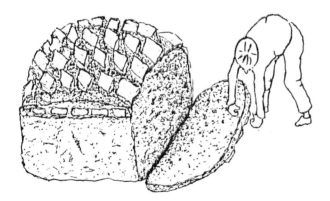

Den Vorteig macht ihr wie bei den Neujahrsbrezeln be-
schrieben. Inzwischen schält ihr die Zwiebeln, hackt
sie und dünstet sie mit etwas Fett in der Pfanne.
Im gleichen Fett bratet ihr den sehr fein geschnitte-
nen Speck an. Petersilie waschen und kleinhacken,
Käse in Würfel schneiden. Salz, Zwiebeln, Käsewür-
fel, den Speck, Mandeln und Petersilie und das rest-
liche Wasser in den Vorteig kneten und nochmals gehen lassen.

Das Backen:

Den Herd auf 250 Grad vorheizen. Etwas Wasser direkt in die Röhre spritzen, damit Dampf entsteht. Dann
sofort das Brot auf die untere Schiene geben. Die Temperatur auf 200 Grad zurückstellen. Die Backdauer ist
ungefähr eine Stunde. Nach 10 Minuten Backzeit
Ofentüre ca. 2 cm weit öffnen, damit der Dampf ent-
weichen kann. Kann man die Backofentür nicht arre-
tieren, so müßt ihr einen Kochlöffel in den Spalt
klemmen.

Heimwehbrot.

Am Agathentag läßt die Bäuerin in der Kirche Brot
weihen. Davon bekommt jeder Hausgenosse und jedes
Haustier einen Bissen zu essen, denn es soll vor Krank-
heit schützen und die bösen Geister fernhalten.
Brot, das die Mutter gebacken hat, muß man mitneh-
men, wenn man in die Ferne zieht; es hilft gegen Heim-
weh, ganz besondes das geweihte Agathenbrot.

Es schneielet, es beielet, Es schneielet, es beielet
es goht e kuehler Wind, es goht e kalter Wind
hesch du e Stückli Brot im Sack d'Maidli lege Händschig (Handschuhe) a
gib's ime arme Kind. und d'Buebe laufe gschwind.

1. Au der Winter het viel Freude
   worum solls denn andersch sin;
   mueß mer au im Stübli bliebe,
   kann mer sich doch d'Zit vertriebe,
   daß au jedes z'friede isch.

2. Am ä Abend bi de Lampe
   sitze alle um der Disch;
   d'Muedder zählt us schöne Gschichtli,
   lehrt us Liedli un Gedichtli,
   daß au jedes z'friede isch.

3. Mit dem Büebli spielt d'Vadder,
   stellt em Bleisoldate uf;
   d'Tante macht em kleine Mädli
   für si Buppe schöne Kleidli
   un ä Mäschli obedruf.

4. Wenn vom Himmel Flöckli falle,
   un der Schnee am Bode liegt,
   wenn mer dürfe zmitze dure,
   mit dem liechte Schlitte sure,
   ei wie luschtig isch des nit.
   (mündlich überliefert.)

S'hocke drei Narre
uf Hänseli's Karre!
Wie lache die Narre?
Narri, narro!

Schelle, schelle Sechser, alli alti Hexe, narro!
s'bißt mi ä Floh, weiß nimmi wo, am Bobo!

Hoorig, hoorig, hoorig isch die Katz
und wenn die Katz nit hoorig wär
dann fing se keine Mäus mehr!

S'isch Fasenacht, s'isch Fasenacht,
wenn mei Muddler Küechli backt
wenn se aber kime backt
pfif i auf die
Fasenacht!

gitzig, gitzig isch die Hexe, und wenn
Hexe nit gitzig wär, dann gäb se au was her

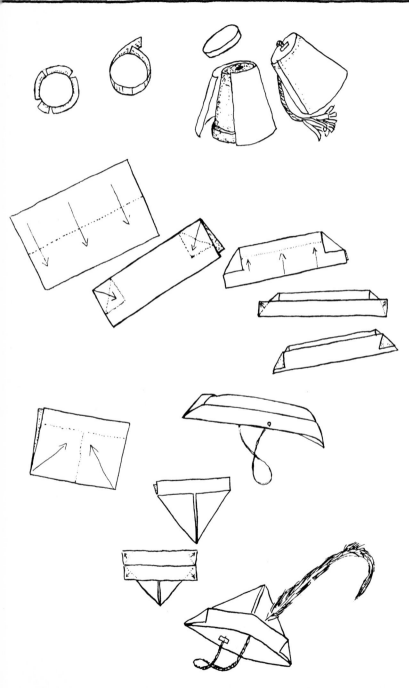

Rasch verkleidet.

Einen Fes schneidet ihr aus Packpapier, das ihr um einen Blumentopf schlagt und zusammenklebt. Ihr könnt das Packpapier dann mit rotem Kreppapier umkleben. Der Blumentopf wird natürlich wieder herausgezogen, er soll nur als Form dienen. Die Quaste macht ihr aus einem Bündel Kreppapier, in das ihr Fransen hineinschneidet, sie soll an einer Schnur bis etwa zum Ohr herabhängen. In den unteren Rand vom Fes macht ihr ein kleines Loch auf jeder Seite, so könnt ihr je ein Bändchen befestigen, das ihr unterm Kinn festbinden könnt.

Aus buntem Papier könnt ihr Käppchen falten, oder ihr nehmt weißes Papier und bemalt und beklebt es. Ihr knifft einen Bogen Schreibpapier der Länge nach in der Mitte und knickt die beiden Ecken am Mittelbruch zu dreieckigen Zipfeln um.

Die Faltarbeit sieht jetzt aus wie ein Bauernhaus mit großem Dach. Die „Mauern" schlagt ihr – eine nach vorn, eine nach hinten – über das Dach. Dann faltet ihr die überstehenden Ecken um und klebt sie fest. Das Käppi ist fertig, kann bemalt oder beklebt und mit einer Haarklemme am Haar festgesteckt werden. Ganz ähnlich entsteht ein spitzer Helm fürs Brüderchen, das ja auch mit dabeisein möchte.

Wir falten wieder einen Mittelbruch in den Bogen, aber diesmal so, daß die beiden Schmalseiten aufeinander zu liegen kommen. Die beiden Ecken am Mittelbruch schlagen wir zur Mitte zusammen, sodaß sie sich berühren und oben eine Spitze bilden. Die Faltarbeit hat diesmal die Form eines spitzen Hausgiebels. Wieder die Mauern nach vorn und hinten über den Giebel schlagen, in den Helm hineinfassen und auseinanderziehen! Der Helm wird mit einem Kinnband auf dem Kopf gehalten. Besonders flott sieht er mit einer angesteckten Feder aus.

Der ist König unter den Narren, der eine Streckschere hat!

Ihr braucht: ein paar Latten, ein Stück Sperrholz, einen Handbohrer, eine Laubsäge, ein altes Brett, ein–zwei Schraubzwingen und ein paar Spreizklammern.

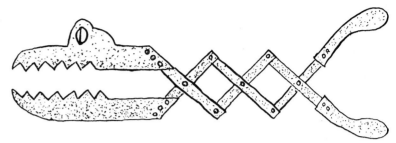

Die Latten werden in 15–20 cm lange Stücke gesägt und anschließend geschmirgelt. Für eine Streckschere benötigt man 4–6 solcher Latten. Sie werden an drei Stellen durchbohrt: genau in der Mitte und je 1 cm von den Enden entfernt. Zum Bohren befestigt ihr die Latte mit ein, zwei Schraubzwingen am Arbeitstisch. Nicht vergessen: ein altes Brett zwischen Latte und Tisch klemmen, damit ihr nicht in den Tisch bohrt!

Auf dünnes Sperrholz zeichnet ihr nun den Kopf eurer Streckschere. Achtung, je mehr Borsten und Zähne ihr euerm Ungeheuer malt, desto schwieriger habt ihr es beim Aussägen! Auch Griffe lassen sich so herstellen.

Sägt den Kopf des Ungeheuers in zwei Hälften aus. Beide Teile fein schmirgeln und dann bemalen und lakkieren. Die beiden Kopfteile werden auf die Latten geleimt und zusätzlich vernagelt.

Dann legt ihr die Latten scherenförmig übereinander und befestigt sie mit sogenannten Spreiz- oder Musterklammern. (An den großen Briefumschlägen seht ihr sie manchmal. Zu kaufen gibt's sie im Schreibwarenladen.)

Gebt acht, das Sägeblatt in der Laubsäge muß mit den Zähnen nach unten zeigen. Es darf weder zu schlaff noch zu straff in der Säge stecken. Beim Sägen bewegt ihr die Säge gleichmäßig auf und nieder, nicht ziehen, nicht drücken.

Mit Geduld und Spucke...

Spreizklammer

Ihr braucht noch ein Kostüm?

Da müßt Ihr euch jetzt aber ranhalten!
Vielleicht könnt ihr von Mutter ein altes Leintuch er-
bitten. Daraus könntet ihr ein tolles Fantasiekostüm
machen: im Kartoffeldruck.

Ihr braucht:

ein altes weißes Leintuch oder einen anderen hellen
Naturfaserstoff, ein paar große Kartoffeln, ein scharfes
Küchenmesser, einen Pinsel, 1–2 Wassergläser, einen
großen Stapel alter Zeitungen, einen alten Teller oder
ähnliches, auf dem ihr die Farben anrühren könnt, und
Farben natürlich.
Da könnt ihr beinahe alles verwenden, angefangen bei
eurem Schulmalkasten. Soll eure Druckkunst brillant
und wasserfest auf dem Stoff stehen, müßt ihr allerdings Stoffmalfarben benützen.

So schneidet ihr euch Druckstempel aus den Kartoffeln:

Die Kartoffeln der Breite nach halbieren, nicht schälen.

Als erstes macht ihr am besten einen Karostempel: ihr zeichnet das Karo auf der Schnittfläche der Kartoffel an, dann schneidet ihr alles Überflüssige schräg nach hinten ab.

Schon habt ihr den ersten Stempel. Genauso könnt ihr ein Dreieck, einen Drachen, ein Stäbchen... ausschneiden.

Ihr braucht gar keine komplizierten Stempel herzustellen. Habt ihr mehrere einfache, so könnt ihr diese immer neu zusammensetzen. Das gibt schon eine ganze Menge Muster.

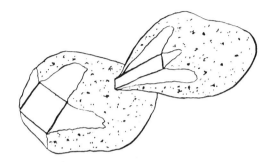

Das Drucken:

Wenn ihr den Stoff auf Zeitungspapier ausgelegt habt, kann's losgehen. Mit dem Pinsel tragt ihr die Farbe ziemlich trocken auf euren Kartoffelstempel auf und druckt diesen auf den glatt liegenden Stoff.

Das Kostüm nähen:

Faltet das Leintuch der Länge nach. Näht es auf beiden Seiten zu, aber nicht bis oben hin! Ihr müßt ja noch die Arme durchstrecken können. In der Mitte oben schneidet ihr ein Loch hinein, so groß, daß der Kopf durchpaßt. Diesen Halsausschnitt müßt ihr nun noch umnähen, damit er nicht einreißt. Unten könnt ihr die Kanten umnähen oder ausfranzen.

Übrigens, ihr könnt nicht nur Stoff bedrucken, auch einen Papierfächer oder -hut zu eurem Kostüm oder die Einladungskarten zur Fasnachtsparty.

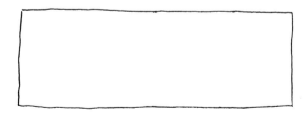

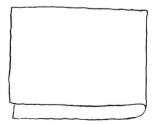
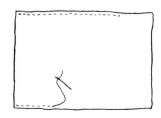
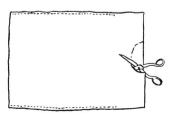

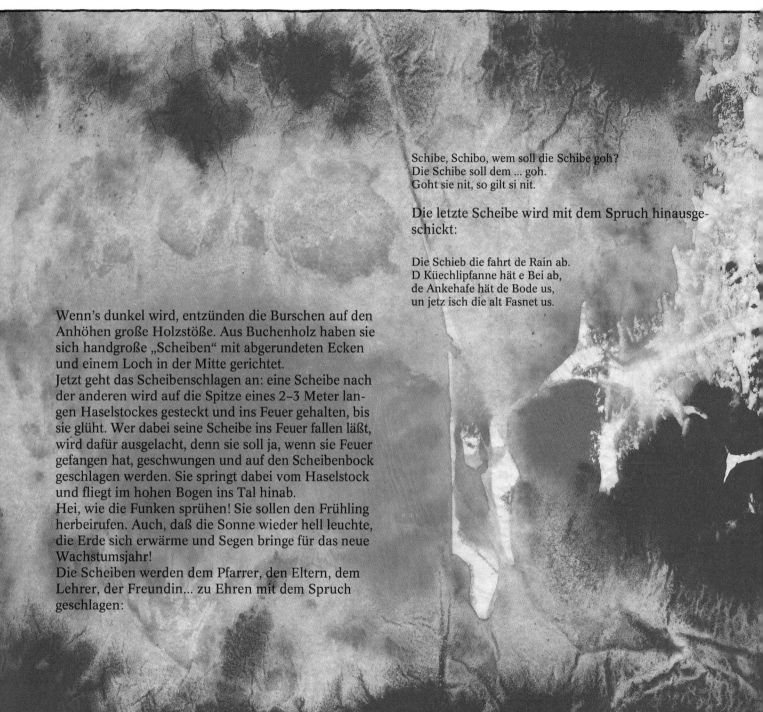

Schibe, Schibo, wem soll die Schibe goh?
Die Schibe soll dem ... goh.
Goht sie nit, so gilt si nit.

**Die letzte Scheibe wird mit dem Spruch hinausge-
schickt:**

Die Schieb die fahrt de Rain ab.
D Küechlipfanne hät e Bei ab,
de Ankehafe hät de Bode us,
un jetz isch die alt Fasnet us.

Wenn's dunkel wird, entzünden die Burschen auf den
Anhöhen große Holzstöße. Aus Buchenholz haben sie
sich handgroße „Scheiben" mit abgerundeten Ecken
und einem Loch in der Mitte gerichtet.
Jetzt geht das Scheibenschlagen an: eine Scheibe nach
der anderen wird auf die Spitze eines 2–3 Meter langen Haselstockes gesteckt und ins Feuer gehalten, bis
sie glüht. Wer dabei seine Scheibe ins Feuer fallen läßt,
wird dafür ausgelacht, denn sie soll ja, wenn sie Feuer
gefangen hat, geschwungen und auf den Scheibenbock
geschlagen werden. Sie springt dabei vom Haselstock
und fliegt im hohen Bogen ins Tal hinab.
Hei, wie die Funken sprühen! Sie sollen den Frühling
herbeirufen. Auch, daß die Sonne wieder hell leuchte,
die Erde sich erwärme und Segen bringe für das neue
Wachstumsjahr!
Die Scheiben werden dem Pfarrer, den Eltern, dem
Lehrer, der Freundin... zu Ehren mit dem Spruch
geschlagen:

Das Erdmännle vom Eckefelse.

Zwischen Lierbach und Zuflucht im Nordschwarzwald findet man einen felsigen Gebirgszug – die Eckefelsen. In der Nähe davon stand der Eckefelsehof. Man erzählt sich, daß es in den Felsen Gänge und Behausungen der Erdmännchen gäbe.

Und wirklich, eines Morgens stand ein Erdmännchen in der Küche vom Eckefelsehof und fragte die Bäuerin, ob sie nicht mit ihm kommen könne, die Erdmännchen bräuchten eine Taufpatin. Die Bäuerin aber schlug es ihm rundweg ab; zu so einem Armen könne sie nicht kommen. Sie schämte sich eben, zu einem Erdmännchen als Taufpatin zu gehen. Das Erdmännchen aber hatte ein Bündel Stroh unterm Arm, deutete fröhlich darauf und sagte, das solle sie zum Lohn bekommen, wenn sie ihm den Gefallen täte. Die Bäuerin wollte aber davon nichts wissen. Wenn das alles sei, was sie für den Patendienst erhalten würde, so solle es sich mit seinem Strohbündel davonmachen. Traurig stapfte das Erdmännchen zur Küche hinaus. Zwei Strohhalme blieben aber an der Tür hängen. Und siehe, kaum war das Erdmännchen verschwunden, verwandelten sie sich in pures Gold.

Ritter Peter von Staufenberg und die schöne Melusine.

Die Burg des Ritters von Staufenberg steht noch heute. Wenig nördlich von Offenburg blickt das Schloß Staufenberg auf Durbach herab. Hört, was sich dort einst zutrug: An einem schönen Pfingstmorgen ritt Peter von Staufenberg mit seinem Knecht zur Kirche nach Nußbach. Auf dem Weg begegnete ihnen eine wunderschöne Frau. Der Ritter war gefesselt von ihrer Anmut und verweilte, um mit ihr zu plaudern. Sie erzählte ihm, daß sie sich schon lange unsichtbar in seiner Umgebung aufgehalten und ihn vor Gefahr beschützt habe. Fortan wolle sie, so oft er es wünsche erscheinen und ihm bis zum jüngsten Tag Glück, Reichtum und ihre Liebe schenken, wenn er keiner anderen Frau die Hand zur Ehe gäbe. Gerne willigte der Ritter ein. Sie sagte ihm aber auch, daß sein Leben binnen drei Tagen verwirkt sei, falls er sein Versprechen bräche. Von dieser Stunde an führte der Ritter Peter von Staufenberg ein glückliches Leben. Die schöne Melusine sorgte dafür, daß er zu Ehren und Wohlstand kam und war ihm eine liebende Frau. Bei einem Turnier zu Frankfurt überragte er alle Edlen so sehr, daß ihm der König seine Base zur Gemahlin anbot. Doch der tap-

fere Staufenberger lehnte diese Gunst ab. Dieses Verhalten wurde nun nicht so ohne weiteres gebilligt. Peter von Staufenberg mußte erklären, warum er die hübsche Base des Königs verschmähte. So in die Enge getrieben, erzählte er von seiner Verbindung mit der schönen Melusine. Da sie sich aber nur ihm allein zeigte, glaubten der König und die anderen Ritter, es handele sich um den lichtscheuen Bösen, der in dieser Geisterform stecke und drangen in ihn, davon abzulassen und die Base des Königs zu heiraten. Schließlich willigte Ritter Peter in die Vermählung ein und ritt zurück auf seine Burg Schloß Staufenberg. Da fand er weinend die schöne Melusine. Sie machte ihm bittere Vorwürfe und erinnerte ihn an sein Versprechen. „Nun müßt ihr binnen dreier Tage sterben," sprach sie und verschwand. Die Hochzeit mit des Königs Base fand statt. Da erschien plötzlich an der Decke des Festsaales ein Fuß der Melusine, den ungläubigen Hochzeitsgä-

sten zum Zeichen und dem Ritter Peter zur Mahnung, daß er den Pfarrer rufen lassen müsse, um christlich zu sterben.

Drei Tage nach der Hochzeit trugen der König und die Hochzeitsgäste den Ritter Peter von Staufenberg zu Grabe.

Peterlestag – Storchentag

Warum der Peterlestag im Kinzigtal auch Storchentag heißt, berichtet eine alte Sage. Da heißt es: Vor langer Zeit wurde die Stadt Haslach und das ganze Kinzigtal von einer Schlangenplage heimgesucht. Die Schlangen kamen in Massen und bedrohten das Leben der Menschen und Haustiere. Die Bewohner des Tales hatten unaussprechlich zu leiden. Da gelobten sie in höchster Not: im Falle, daß diese Plage ein Ende nähme, wollten sie den Armen und Kindern alljährlich einen guten Tag verschaffen. Plötzlich kamen unzählige Störche herangefolgen, die alle Schlangen auffraßen und so das Tal von seiner Plage befreiten.

Mit dem Peterlisspringen der Kinder sollen nun alljährlich Krotten, Schlangen und sonstige Schädlinge verjagt werden. Buben ziehen mit Ketten und Schellen durch das Dorf, springen dreimal um ein Haus oder einen Brunnen, sagen ihre Sprüche und heischen Gaben.

Heut isch der heilige Peterstag
daß wir alle Kröten und Schlangen verjagen
Wir wünschen euch in diesem Haus
ihr sollt von allen giftigen Tierlein bewahrt sein.

Peter, Peter Sturm
mit dem langen Wurm
Peterstag ist bald vergangen
verrecken alle Krotten und Schlangen.

He-rus, he-rus
Äpfel un Bire zum Lade rus!
Glück ins Hus, Glück ins Hus,
bis zum oberste Dachfirst rus!

Wir treten herein so stark und so fest,
grüßen den Hausherrn und all seine Gäst,
grüßen wir das ein oder andere nicht,
so sind wir die Entersbacher Buben nicht.
Die Entersbacher Petersbuben sind wir genannt,
wir ziehen dem Reichsvogt durchs Land,
sein Land war auch so schön und weit,
es war zur heißen Sommerszeit.

Da blühten die Blumen so rot und so weiß,
kam leider der Winter, verdarb sie mit Fleiß,
heut ist Peterstag, da wir alle Krotten und
Schlangen verjagen und auch befreien von allen
giftigen Tieren und Plagen.
Nun haben wir jetzt an Euch die Bitt:
teilt uns Schülern auch was mit:
Äpfel oder Nuß, dann bleiben wir druß!
Schnitz oder Speck, dann gehn wir weg!
Geld oder auch Brot, helf uns aus aller Not!

Hört meine lieben Kameraden,
die Leute sind gut beraten,
sie wissen längst schon was wir wollen,
und was sie gern ausgeben sollen.
Wir bedanken uns ganz höflich,
daß ihr uns gegeben barmherziglich.
Wir wünschen Euch allen ein langes Leben,
das euch Gott der Herr wollt geben
und nach diesem das ewige Leben
Vergelts Gott!

Mittags um 12 Uhr versammelt sich die gesamte Schuljugend. In Entersbach tragen die Mädchen Kränze, die Buben bekränzte Hüte. In Haslach findet man inmitten der Kinderschar den Storchenkarle, einen Mann, der einen großen ausgestopften Storchen auf dem Hut trägt.

„Hüt isch Peterlistag, hüt isch Peterlistag" so schallt es überall. Von Haslach erzählt Hansjakob:

„Vor jedem Haus hält der Zug, die Kinder rufen: ‚Heraus, heraus, Äpfel, und Bire zum Laden raus!' Dann prasseln von oben Äpfel, gedörrte Schnitze und Nüsse herab und alle Kinder stürzen durcheinander um etwas zu erhaschen."

In Entersbach geht es geordneter zu. Ein paar „Sackbuben" sammeln für alle. Sie treten in die Stube, während die anderen draußen warten und sagen den nebenstehenden Spruch:

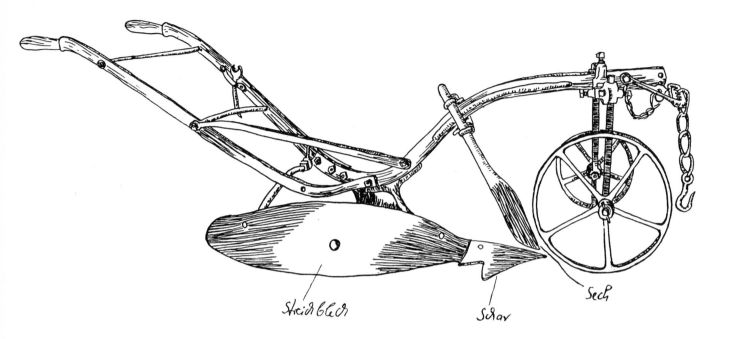

Streichblech   Schar   Sech

Im Märzen der Bauer...

Kaum ist der Schnee geschmolzen und der Boden aufgetaut, beginnt für den Bauern die Arbeit auf dem Feld.
Zuerst muß er dafür sorgen, daß das Schmelzwasser abfließen kann, damit es die Felder nicht in Morast verwandelt. Er legt darum bei seinen Feldern offene Gräben an, durch die das überschüssige Wasser zum nächsten Bach gelangen kann.
Sobald die Felder etws abgetrocknet sind, beginnt der Bauer, das Erdreich für die Aussaat vorzubereiten. Zuerst lockert und lüftet er die Erde mit Pflug und Egge. Der Pflug ist ein Ackergerät, mit dem das Erdreich streifenweise gewendet wird.

Der Pflug der ersten Bauern war nichts als ein gekrümmter Ast, der später vorne eine Steinspitze, die erste Pflugschar, bekam.Der Pflug von heute sieht komplizierter aus, ist aber im Grunde nicht viel anders. Seine wichtigsten Teile sind das Sech, die Schar und das Streichblech. Noch im 19. Jahrhundert war der Pflug fast ganz aus Holz. Nur Sech und Schar waren aus Eisen. Beim Pflügen wird der Boden durch das Sech senkrecht und durch die Schar waagerecht abgeschnitten. Das Streichblech hebt den so entstandenen Erdstreifen an, wendet ihn und legt ihn seitlich ab. Nun liegt das Feld in groben Schollenstreifen da. Mit der Egge werden dann die Schollen zerkleinert, damit eine feine Krume entsteht.
Die ersten Eggen waren nichts anderes als grobe Bündel von Sträuchern und Reisig. Durch Querbalken wurden sie zusammengehalten und beschwert, oder

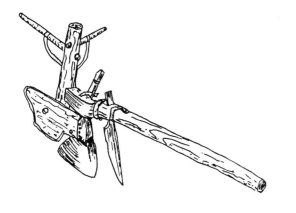

man spaltete junge Fichtenbäumchen, fügte sie mit Querhölzern zusammen und schnitt die Äste als Zinken auf gleiche Länge. Heute benutzen die Bauern unter anderen die Zahnegge, die der Urform noch sehr ähnlich ist. Die nach vorne gebogenen Stahlspitzen der Zahneggen ebnen den Acker ein oder lockern ihn auf, wenn er verkrustet ist. Sie dienen auch dazu, Kunstdünger und Samen einzuscharren und Unkraut auszureißen.

Bei günstigem Wetter kann der Bauer den Samen ausbringen. Sät er zu früh, kann die Saat erfrieren. Wartet er zu lange, haben die Pflanzen zu wenig Zeit zum wachsen, und darum wird die Ernte geringer. Der Bauer muß auch genau wissen, wie er die Samen ausbringt. Liegt die Saat zu flach auf der Erde, holen sie die Vögel, oder sie vertrocknet. Wenn sie zu tief liegt, braucht sie zuviel Kraft, um den Keim ans Licht zu schieben.

Ist der Boden zu naß, ertrinken und verfaulen die Samen. Ist er zu hart, können Keim und Wurzel im Erdpanzer nicht austreiben.

Ihr seht also, daß es kein einfaches Geschäft ist, für unsere Nahrung zu sorgen.

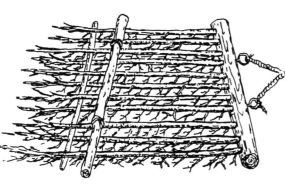

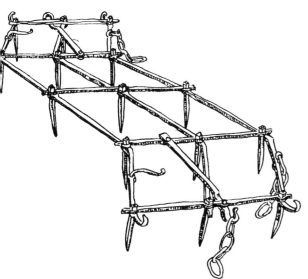

Hit isch Middi Faschde – de Hisgir geht um.

Im Markgräflerland, also rund um Müllheim, geht am Sonntag Laetare der Hisgir von Haus zu Haus. Es sind immer die Kinder der 7. Klasse, die ihn aus ihrer Mitte wählen, meist aus ärmerer Familie; aber möglichst kräftig soll er sein. Die Buben wählen ihren Hisgir und die Mädchen den „Maidli-Hisgir." Das geschieht heimlich und darf nicht verraten werden. Nun müssen für die beiden Hisgir die Gewänder hergerichtet werden. Der Bube-Hisgir wird in eine große Strohpyramide verwandelt. Beine und Arme werden mit geflochtenen Strohzöpfen umwickelt. Am Körper wird das Stroh auf Reifen gebunden. Die Buben verzieren diese Verkleidung mit verschiedenen Glöckchen und Schellen. Diese werden bei den Dorfbewohnern entliehen und hängen dann, mit den Namen der Geber versehen, am Gewand.

Ein Begleiter bekommt einen drei bis vier langen Stecken mit einem Buchsbuschel am Ende in die Hand. Die übrigen Kameraden nehmen kleine Kirschenkörbchen mit; denn sie wollen ja etwas sammeln. Am Dorfrand beginnt die kleine Schar mit ihren Heischerufen:

Hit isch de Middi Faschde
Halelialieis!
Me wird is Kiechli bache (uns Küchlein backen)
Halelialieis
Mer höre d'Frau in d'Kammere goh
Halelialieis
Sie wird is Eier in Anke schlo (sie wird uns Eier in Butter
　　　　　　　　　　　　　schlagen)
Halelialieis!
Mer höre 'des Fäßli rumple
Halelialieis!
Dr Hisgir soll ufgumbe (hopsen)
Halelialieis!

Gleich bringen die Leute Eier oder Geld heraus. Ist ein Bub im Haus, so erhält er von den Sammlern ein Ei zurück. Der Hisgir macht einen „Hopser", daß die Schellen klingen, dann geht's zum nächsten Haus. Wird nicht geöffnet, so schlägt einer der Buben mit der Stange an die Dachrinne, daß es dröhnt.

Und alle rufen:
Wenn 'r is aber nit wenn geh
so wemmer ich d'Hiehner und Eier neh!

Irgendwo treffen sie dann auf den Umzug der Mädchen. Der Maidli-Hisgir ist ein bißchen Königin, ein bißchen Braut. Über das Gesicht fallen weiße Schleier, auf dem Kopf prangt eine goldene Krone. Über den langen weißen Rock hängen farbige Seidenbänder. Die Mädchen haben auch Eier gesammelt wie die Buben, aber nicht mit viel Lärm und Gedönse, sondern mit dem Vortrag von Frühjahrsliedern. Es prallen also Winter und Sommer aufeinander. Da wird gehänselt

und gehöhnt, bis schließlich Winter- und Sommer-Hisgir ihr Gewand ablegen und einen kleinen Kampf austragen.
Ist das letzte Haus abgeklopft, wird der Hisgir endgültig „usbelzt."
Jetzt kann er wieder frei atmen. Unter seiner schweren Strohhülle hat er oft nach Luft geschnappt und ist trotz kühler Witterung ins Schwitzen gekommen. Geld und Eier werden aufgeteilt, wobei der Hisgir für seine Mühe einen wesentlich größeren Anteil bekommt.

Sommertagsfest

In Nordbaden kennt man keinen Hisgir aber dafür den „Stabaus".
Nach dem Gottesdienst durchziehen die Kinder den Ort, jedes einen Haselstecken in der Hand, der oben mit Gold- und Silberpapier, ansonsten mit Buntpapier verziert ist. An der Spitze aber steckt eine große Brezel. Manchmal marschiert ein in Stroh gewickelter „Winter" und ein in Tannengrün gekleideter „Sommer" mit.

Die Kinder rufen:

Strieh, Strah, Stroh,
der Sommerdag isch do.
Der Sommer und der Winter
des sin Geschwisterkinder.
Sommerdag, Stab aus.
Bloßt dem Winter d'Auge aus.
Strieh, Strah, Stroh,
der Sommerdag isch do.
Ich hör die Schlüssel klinge,
was werde se uns denn bringe?
Roter Wein un Brezle drein.
Was noch dazu? Paar neue Schuh!

Strieh, Strah, Stroh,
der Sommerdag isch do!
Heut über's Johr
Da simmer wieder do.
O, du alter Stockfisch
Wenn mer kommt, dann hasch nix.
Gibsch uns alle Jah nix.
Strieh, Strah, Stroh,
der Sommerdag isch do.

Am Abend dieses Tages ließ man früher eine brennende Kerze auf einem kleinen Brett den Dorfbach hinunterschwimmen, zum Zeichen, daß die Winterarbeit bei Licht jetzt aufhört. Habt ihr nicht Lust, diesen Brauch wieder einzuführen?

Grüeß Gott Bäseli

Grüeß Gott, Bäseli, sitz mer zue!
Hab i au e Stündeli Ruh!
Bin so glücklich, tralalalala,
wenn i e Tässeli Kaffi ha.

Isch das nit e brave Ma?
Bringt mer Kaffi us Afrika.

Honig und Anke stehn jo do.
Bitti, nimm doch au dervo!

Und wenn's rägnet und
wenn's schneit,
und wenn's Kätzli' s
Gschirr verkeit.

Jetze hör i sechsi schloh,
nai, wie doch die Zit
vergoht.

Adie, Bäseli, läb jetz wohl,
bitti, kumm e-n-ander Mol!

In's Mueders Stübeli

In's Mueders Stübeli, do goht der Hm, hm, hm,
in's Mueders Stübeli, do goht der Wind.

Mueß fast verfriere vor luter hm, hm, hm,
mueß fast verfriere vor luter Wind.

Mir wei go bettle go, es si üs hm, hm, hm,
mir wei go bettle go es si üs zwei.

Du nimmsch der Bettelsack un i der hm, hm, hm,
du nimmsch der Bettelsack un i der Korb.

Du stohsch vor's Lädeli un i vor hm, hm, hm,
du stohsch vor's Lädeli und i vor d'Tür.

Du kriegsch e Weckeli un i e hm, hm, hm,
du kriegsch e Weckeli un i e Bir.

Du stecksch der Speck in Sack un i der hm, hm, hm,
du stecksch der Speck in Sack un i der Ank.

Du seisch: „Vergelts euch Gott!", un i sag hm, hm, hm,
du seisch: „Vergelts euch Gott!", un i sag: „Dank".

Krokodile sonnten sich am Palmenufer.

Nicht immer hat unsere Heimat so ausgesehen, wie wir sie heute kennen. Zwar gehört das Gestein des Schwarzwaldes zum ältesten Gestein der Erde, doch die Landschaft war ehemals eine ganz andere. Vor etwa 350 Millionen Jahren gab es noch keine Rheinebene. Der Schwarzwald und die Vogesen bildeten zusammen ein riesiges Gebirge, das sich hoch über der heutigen Rheinebene auftürmte. Man nennt es das Variskische Gebirge. In der Erdrinde aber herrschten Spannungen. Das Gebirge kam in Bewegung. Es erschienen Erdrisse, neue Aufwölbungen (Gebirge) und Verschiebungen. Dann kam die Katastrophe: ein gewaltiger Erdriß mittenhindurch – die heutige Rheinebene entstand.

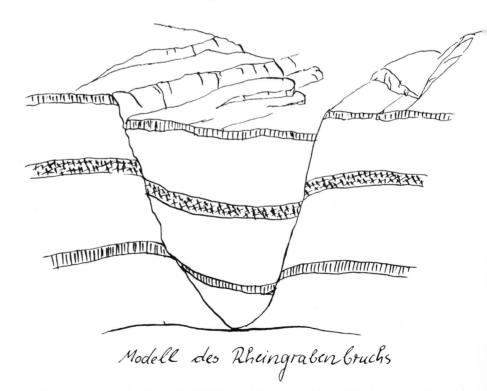

Modell des Rheingrabenbruchs

Und dabei ist das Absinken des Rheingrabens noch keineswegs abgeschlossen. Ganz im Gegenteil, wir leben auf schwankendem Boden. Allerdings spüren wir nichts davon. Denn die jährliche Grabensenkung und gleichzeitige Erhebung der Randgebirge beträgt nur einen halben bis einen Millimeter. Das scheint wenig. Wäre aber der Rheingraben seit seiner Entstehung vor 45 Millionen Jahren in gleichem Maß gesunken, so wäre der Boden des Oberrheintals heute über 2000 m tief. Tiefer wäre er heute alle Mal, wenn nicht durch Flußablagerungen ständig Kies und Schlamm in das Oberrheintal geraten würden. Ohnehin brach in den Jahrmillionen zweimal das Meer herein – einmal über Hessen und das andere Mal entlang dem Nordrand der Alpen und des Juras. Es war ein tropisches Meer, in welchem sich Haifische, Seekühe und Meeresschildkröten tummelten, an dessen Rand Muschel- und Schneckengehäuse antrieben, während sich am Palmenufer Krokodile sonnten.
(nach Hermann und Albert Braunstein)

Granit
Sandstein
Kalkstein
Jura
Schwemmland
Löß

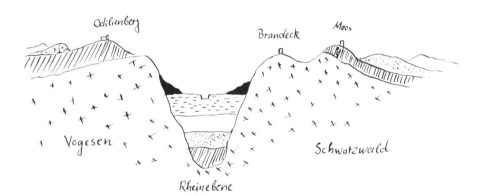

Odilienberg
Brandeck
Moos
Vogesen
Schwarzwald
Rheinebene

Die Palmenweihe.

Zur Erinnerung an den Einzug von Jesus in Jerusalem stellen die Burschen kunstvolle Palmen her, die sie zur Weihe in die Kirche tragen.

Die Palmen können einfache Zweiglein vom Lebensbaum oder bis zu 14 m hohe Gebilde sein.

Verwendet werden: Lebensbaum, Buchs, Stechpalme, Holunder-, Buchen- und Eichenzweige, Weidenkätzchen, Äpfel und buntes Kreppapier.

In der Umgebung von Gengenbach werden sehr große Palmen hergestellt. Ein schlanker Fichtenstamm wird geschält und im oberen Teil mehrfach durchbohrt. Durch diese Löcher werden Querstangen gesteckt. Nun wird dieses Gestell mit langen Ketten umwickelt, die aus den roten Beeren der Stechpalme bestehen. Im November wurden die Beeren gesammelt und in trockenem Sand überwintert, damit sie nicht schrumplig werden. In Zell am Harmersbach verwendet man statt der Beeren buntes Kreppapier, um die Palmen zu schmücken.

Übrigens, am Palmsonntag müßt ihr früh aufstehen. Wer an diesem Tag der letzte ist, wird als Palmesel verlacht. Und noch etwas, nehmt euch vor dem Messner in acht. Es ist schon vorgekommen, daß er zu lange Palmen kurzer Hand ein Stück absägte, damit sie nicht zur Gefahr für die Kirchenlampen wurden.

Nach der Weihe werden die Palmen am Haus festgemacht oder drinnen aufbewahrt. Wenn es ein starkes Gewitter gibt, steckt die Mutter davon ein Zweiglein in den Holzherd, damit der geweihte Rauch das Unwetter vertreibt.

Mit Farben aus Wald und Feld

Für die Ostereier auf dem Foto habe ich keine Farben gekauft sondern aus dem Wald verschiedene Pflanzen geholt. Wer im vergangenen Sommer Kamillenblüten gesammelt hat, kann damit eine gelbgrüne Eierfarbe erzeugen. Getrocknete Heidelbeeren machen die Eier dunkelblau, getrocknete Hagebutten rosa. Aber auch wer nicht vorgesorgt hat, kann mit Pflanzen färben. Die Schalen der Rhabarberstengel beispielsweise geben einen gelbgrünlichen Effekt; grünliche Töne bewirkt auch der Löwenzahn – ich habe dafür Blätter und Stengel genommen. Eine sehr schöne braune Farbe erzeugt man mit Zwiebelschalen. Ebenfalls braun färbt Schwarztee; mit ungesüßtem Holundersaft erzielt man eine blau-schwarze Wirkung. Das Gleiche gelingt auch mit Kaffeesatz. Und gewiß gibt es noch eine Menge Färbepflanzen, die ich noch nicht kenne. Wenn ihr etwas herausfindet, dann schreibt es mir doch bitte.

Die getrockneten oder frischen Pflanzen gibt man in etwas Wasser. Frische Pflanzen soll man vorher kleinschneiden, getrocknete zerdrücken, wenn sie aufgeweicht sind. Man gibt reichlich Färbepflanzen in nur wenig Wasser, da die Farben sonst zu zart werden. In einem kleinen Topf läßt man nun das Wasser mit der jeweils gewählten Pflanze kochen. Wenn sich das Wasser gut gefärbt hat, kann man noch einen kleinen Schuß Essig und dann die Eier dazugeben. Der Essig verstärkt den Farbeffekt. Nun kocht man die Eier in der Färberbrühe, bis sie hart sind, und läßt sie anschließend noch eine Weile darin ziehen. Sie sollen mindestens 15–30 Minuten in diesem Sud liegen – je länger, umso dunkler wird der Farbton. Ihr könnt sie also auch ein paar Stunden darin liegen lassen.

Wenn die Eier genügend Farbe angenommen haben, nehmt ihr sie vorsichtig heraus. Bis sie abgetrocknet und ausgekühlt sind, ist die bunte Oberfläche nämlich kratzempfindlich.

Osterspiele.

Das schönste Spiel an Ostern ist gewiß, den Osterhasen zu suchen. Habt ihr ihn gefunden, so ist aber noch nicht die ganze Osterfreude vorbei, denn jetzt könnt ihr Spiele mit den Eiern machen.

Eier bipperlen.

Zwei Kinder schlagen die Spitzen ihrer Eier aneinander, um deren Stärke zu erproben, bis eines zerbricht und dem Besitzer des anderen zufällt.

Eierlaufen.

Zwei Kinder erhalten jedes einen Löffel, worauf sie je ein Osterei legen. Nun müssen sie einen Wettlauf über eine abgesteckte Strecke machen, wobei das Ei nicht vom Löffel fallen, aber auch mit der anderen Hand nicht gesichert werden darf. Wer erster ist, erhält ein Osterei oder einen anderen Preis.

Ostereier rugele.

In der Nähe von Breisach umwickeln die Kinder ihre Ostereier mit Gras und lassen sie einen Abhang hinunter rollen.

Auf den Fotos seht ihr, daß man den Eiern vor dem Färben auch einen kleinen Verband aus Mullbinde anlegen kann, mit einem hübschen Blättchen drinnen. Wenn man die Binde fest anzieht und verknotet, kommt dort, wo das Blättchen aufgebunden ist, die Farbe nicht ans Ei heran, und das zeichnet sich dann weiß auf dem bunten Ei ab. In die dunkel gefärbten Eier kann man auch Muster kratzen. Und wenn ihr eure kleinen Meisterwerke, sobald sie gut getrocknet sind, noch mit einer Speckschwarte abreibt, bekommen sie einen besonders schönen Glanz.

Wenn der Vater mit dem Sohn ein Bäumchen pflanzt.

Wenn in den ersten Tagen des Frühlings die jungen Bäumchen gepflanzt werden, nimmt der Vater manchmal einen seiner jüngeren Knaben mit. Sobald der Baum in das Erdreich eingesetzt ist, erhält der junge vom Vater ganz überraschend eine schallende Ohrfeige– „auf daß es ihm besser denkt!"
Das wird euch gewiß sehr wunderlich vorkommen. Noch mehr erstaunen wird euch aber folgendes:
Ist auf einem Hof der Bauer gestorben, so klopft man an die Bienenstöcke, damit die Bienchen nicht aus Mitleid mit ihrem toten Herrn auch sterben.

Man öffnet die Stalltüre und ruft den Tieren zu „Euer Meister ist tot". Und man läuft hinaus auf das Gut des Toten, schlägt an die Bäume und teilt es auch ihnen mit.
Seid ihr sehr befremdet, oder könnt ihr verstehen, daß die Bauersleute so gehandelt haben?
Früher war eben eine Kuh nicht bloß eine Milchmaschine, ein Schwein nicht nur eine Anzahl von Fleischkonserven und ein Baum nicht nur Nutzholz. Die Tiere und die Pflanzen gehörten mit zur Familie und wurden wie Familienmitglieder behandelt. Wenn ein Kind zur Welt kam, setzte man auch einen kleinen Baum.

Mit dem ersten Badewasser des Säuglings (das kein Schaumbad war) wurde der kleine Baum gegossen. Man glaubte, daß die beiden, das kleine Menschenkind und der kleine Baum, sich gegenseitig Kraft geben würden.

Aprilechueh, mach de Auge zue!
Hetsch nit gluegt, no wärsch kei Chueh.

I bin in Wald gange – i au
I han e Tanne umghaue – i au
I ha si abgastet – i au
I mach e Trögli drus – i au
Do fresse siebe Säuli drus – i?

Drei kleini Zwergli
gehn durch's nasse Gras,
un wie se heimkomme,
mache se was?
Hatschi, hatschi, hatschi!

Es regelet, es regelt,
es regelet obe druf.
Und wenn's derno gnueg gregnet het,
dann hörts au wieder uf.

Ein Spiel für die Kleineren:
ein Kind legt seinen Kopf in den Schoß eines anderen. Das andere spricht den Vers:
Rumpeldi-bumpeli Holderstock. ... und klopft dabei im Takt
mit den Fäusten auf den Rücken des ersten Kindes. Bei
dem Wort „Bock" streckt es eine Anzahl Finger, die er-
raten werden müssen. Rät das Kind falsch, geht es von
vorne los. Rät es richtig, wechseln die Rollen.
Rumpelibumpeli Holderstock, wieviel Hörner
streckt der Bock?
Hesch's verrote, hesch's verrote,
kann i dir e Würschtli brote.
Nit verrote, nit verrote,
kann i dir kei Würschtli brote.
Hetsch du lieber fünf verrote,
wärsch du nit gerumpelt worde.

Schelle Sie nit mit sellere Schell,
selli Schell schellt nit,
Schelle Sie mit sellere Schell,
selli Schell schellt.

Elztal

Elztal

Konfirmation in Dundenheim (Neuried)

Schutterwälder Aufsatz

St. Peter

Jengenbach

Schutterwald

Hotzenwald

St. Peter

Eine hübsche Schürze leicht genäht.

Beim Kochen, Backen oder Basteln oder auch als Geschenk für die Mutti könnt ihr so eine hübsche Schürze gut gebrauchen. Sie ist ganz leicht zu nähen. In Schutterwald bei Offenburg wurde diese Schürzenart Sonntags von den Mädchen getragen. Die „Vürtücher" waren aus mittelblauem Tibetstoff mit hellblauen langen Seidenbändern zum Binden der Schürze. Wie ihr wißt, trug man die Röcke wadenlang und die Schürzen kaum 5 cm kürzer. Wenn ihr die Schürze nicht zur Tracht tragen wollt, dürft ihr sie natürlich kürzer und in allen Farben fertigen. Gut geeignet sind hübsche bedruckte Baumwollstoffe. Die Schürze besteht aus einem geraden Stück Stoff, das mit Smokbündchen gerafft und mit einem angesetzten Bund und in den Bund eingesteckte Schürzenbänder gehalten wird. Smokbündchen näht man sehr leicht mit der Nähmaschine. Man wickelt Rollgummi straff auf die Nähmaschinenspule und läßt die Spannung des Oberfadens etwas nach. Beim Nähen kräuselt sich dann der Stoff. Ihr müßt aber ein paar Vorversuche auf einem Stoffrestchen machen, um weder auf der Stelle zu nähen, weil die Spannung zu fest ist, noch Schlaufen zu nähen, weil die Spannung zu locker ist.
Eine knielange Schürze für Mutti bedarf eines 90 cm breiten Stoffs von 75 cm Länge; für Bund und Bänder benötigt man noch einmal rund 20 cm vom 90 cm breiten Stoff. Für kleinere Schürzen könnt ihr den Stoffbedarf leicht herausfinden, wenn ihr ein großes Stück Packpapier, dort wo gesmokt werden soll, zusammenheftet und es euch vor den Bauch haltet. Vor dem Spiegel könnt ihr so lange mit dem Packpapier probieren, bis ihr die richtige Größe zurechtgeschnitten habt.

Dann meßt ihr die Packpapierschürze aus und schaut in der Stoffrestekiste oder im Restegeschäft nach einem geeigneten Stück.

Das Nähen:
1. Kanten versäubern
2. Schürze an der Unterkante säumen (Saum 2–3 cm hoch machen)
3. für die Plazierung der beiden seitlichen Smokbündchen am oberen Schürzenrand von der Stoffmitte aus zu beiden Rändern hin abmessen: für eine Erwachsenenschürze 9 cm, für kleinere Schürzen zwischen 6 cm und 9 cm.
   Nun von beiden Rändern zur Mitte messen: für eine Erwachsenenschürze 12 cm, für kleinere Schürzen ca. 10 cm.
4. Für jedes Smokbündchen 6 Bahnen mit Rollgummi im Abstand 1 cm untereinander nähen.
   Rollgummi am Anfang und Schluß gut vernähen oder verknoten.
5. Der Bund soll nach Abschluß der Näharbeiten 3–4 cm breit sein. Wir schneiden ihn doppelt breit zu, plus Nahtzugabe 1 cm oben und unten.
6. Bund annähen: Schürze links nehmen, Bund mit linker Seite zum Betrachter auflegen und annähen. Schürze auf Vorderseite drehen, Bund umschlagen, einschlagen, festnähen.
7. Überstehende Bundenden nach innen einschlagen, abgenähte Schürzenbänder hineinstecken, festnähen.

49

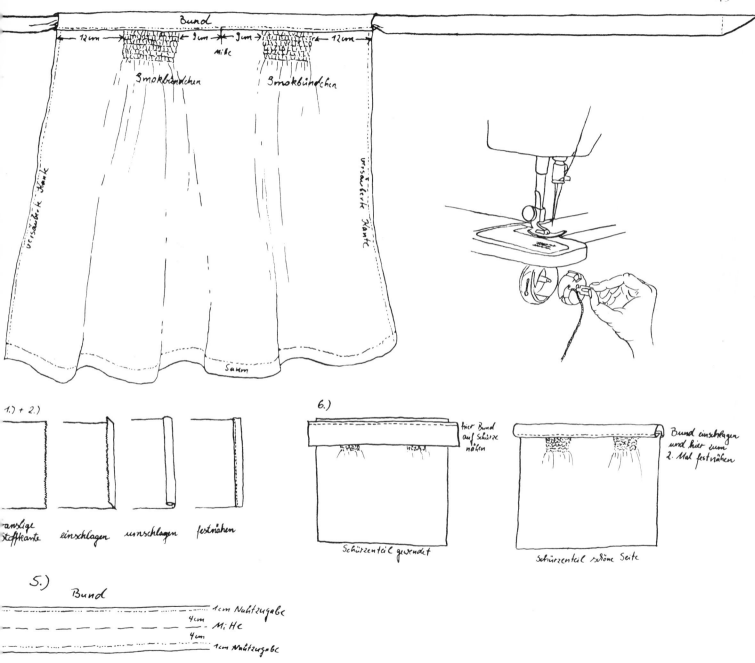

1

2

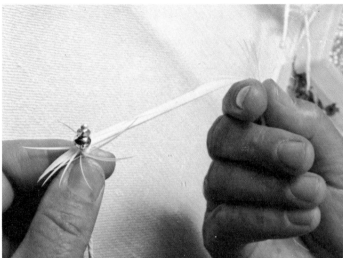

4

1. Hauptbestandteil des Rollen-kränzchens sind vom Kiel ge-trennte, gebleichte Gänsefe-dern.

2. Um kleine mit Perlen bestickte Drähte wird je ein Federchen gewickelt.

3. Wenn die Federchen auf den Draht gewickelt werden, sprei-zen sie ihre Strahlen ab.

Kinzigtäler Kommunions- und Hochzeitskränzle.

Die schönsten Kränzchen habe ich im Kinzigtal gesehen. Sie sind schneeweiß, verziert mit einigen roten Stoffröschen, blauen Vergißmeinnichtlein und glänzenden Schaumperlen. Seitlich hängen längere Perlenschnüre herab – die Tränen. Sie versinnbildlichen die Tränen, die es neben der Freude im Leben gibt. Hinten schließt das sogenannte Rollenkränzchen mit einer weißen Schleife, deren Ende bis auf den Rock herabfallen. Seht euch die Rollenkränzchen selbst an! Sind sie nicht wunderwunderschön? Sie wären es doch wert, wieder häufiger getragen zu werden. Schon die Mütter eurer Urgroßmütter haben sich damit geschmückt, zum ersten Mal zur Kommunion oder Konfirmation, von da an zu hohen Feiertagen und zum letzten Mal an der Hochzeit. Gegen Ende der Hochzeitsfeier wurde der Braut von der Mutter das Kränzchen abgenommen, und sie erhielt die Haube der verheirateten Frauen.

Sicher seid ihr neugierig, aus was diese Kränzchen bestehen. Die Kränzlemacherin von Welschensteinach, Frau Dieterle, zeigt es uns hier. Die Pailletten, die den Kranz zieren, gelten als Spiegelchen gegen den bösen Blick. Das findet man in vielen Kulturen. Die Menschen haben Angst vor Neidern und mißgünstig schauenden Leuten. Sie verwenden deshalb Pailletten oder kleine Spiegel, die den bösen Blick wieder zurückwerfen. So trifft er den Neider selbst.

. Auf einen dicken, weiß umwikkelten Drahtbogen bindet Frau Dieterle ein Federchen um's andere.

5. Eine Menge Federchen, verschiedene Perlen und Blümchen, tränenförmige Glasperlen und Fleiß und Geduld ergeben so ein Kränzchen.

Bekannter als die Kränzchen sind die Kommunions- und Brautschäppel.

Sie sind weit verbreitet im Schwarzwald und sehr verschieden von Ort zu Ort. Ganz winzig sind die Schäppel im Hotzenwald, riesengroß und schwer in St. Georgen. Wie das Kränzchen, so darf man auch den Schäppel zum ersten Mal an der Kommunion/Konfirmation und zum letzten Mal an der Hochzeit tragen. In der Herstellungsweise ähneln die Schäppel den Kränzchen. Allerdings werden zum Schäppel keine Federn benützt. Hier werden Bändchen und Perlen in großer Auswahl verwendet. Vorzugsweise die leichten Schaumperlen. An den alten Schäppeln kann man noch mundgeblasene Glasperlen finden, die früher in den Glasbläsereien hergestellt wurden, und eine Menge Flitter aus gestanzten Metallplättchen, bedruckt mit allerlei Symbolen.

„Wie wird der Schäppel denn eigentlich auf dem Kopf befestigt", frage ich Frau Schneider, die Schäppelmacherin vom Elztal. „E bissel Hoar muß mer scho ha", gibt sie zurück. Enttäuscht stelle ich fest, daß wir es an meinem Schopf nicht ausprobieren können. Zu gerne hätte ich einmal solch eine Krone getragen! Wer ausreichend langes Haar hat, nimmt es streng zusammen. Ein Bastring, wie ihr ihn auf dem dritten Foto seht, wird mit Haarnadeln auf dem Kopf festgesteckt. Auf ihn steckt man den Schäppel. Die Bänder am Schäppel werden in die Haare geflochten.

1

2

4

5

Wie ein Schäppel entsteht:

1. Schaumperlen werden auf Drähtchen gesteckt und zu kleinen Sträußchen zusammengefaßt.
2. Ganz feine Perlen werden aufgefädelt, in Schlaufen gelegt und festgedrahtet.
3. Ein langes weißes Band wird in Schlaufen gelegt und mit den Perlenschlaufen zusammengedrahtet.
4. Zwischen die Schlaufen werden immer neue Perlensträußchen gedrahtet.
5. So entsteht ein Stäbchen.
6. Aus 18 Stäbchen besteht ein Elztaler Schäppel

Als eine der schaurigsten Nächte des Jahres galt einst die Nacht vom 30. April auf den 1. Mai, die Walpurgisnacht. Man glaubte, daß sich in dieser Nacht alle Zaubermächte der Fesseln entledigen und Mensch, Tier und Flur mit Unheil bedrohen. Auf den Höhen wurden Walpurgisfeuer entzündet, auf daß der helle Schein die Hexen verbanne und vertreibe.

Ganz sicher war man, daß Hexen auf dem Kandel im Südschwarzwald Walpurgis feiern.

Damit die bösen Geister auf ihrem Fluge nicht auf gutes Ackerland niedergingen, wurden Gabeln und Rechen mit den spitzen Zinken nach oben in das Erdreich gesteckt. Nicht selten wurden in dieser Nacht alte Besen verbrannt, um den Hexen ihr luftiges Gefährt zu nehmen.

Sturm und Wetterwolken in der Walpurgisnacht deuteten darauf hin, daß die Dämonen das neue Wachstum störten.

s'bucklig Männli

Will ich in mi Gärtili goh,
will mini Zwieble gieße,
stoht e bucklig Männli do,
fangt glich an zu nieße.

Will ich in mi Kichili goh,
will mi Sippili koche,
stoht e bucklig Männli do,
het mi Tepfli zerbroche.

Will ich in mi Stiwili goh,
will mi Sippili esse,
stoht e bucklig Männli do,
het mer's halber gesse.

Will ich in mi Kämmerli goh,
will mi Bettli mache,
stoht e bucklig Männli do,
fangt glich an zu lache.

Will ich uf die Biehni goh,
will mi Holz dert hole,
stoht e bucklig Männli do,
het mer's halber gschtohle.

Hahn oder Huhn?

Ein Kind pflückt ein Rispengras und hält es dem anderen vors Gesicht mit der Aufforderung: rate!
– Hahn oder Huhn?
Das erste Kind zieht das Rispengras durch Daumen und Zeigefinger, daß sich die Büschelchen vom Halm trennen.
An der Form des Sträußchens seht ihr, ob Hahn oder Huhn.
Wie? Ganz einfach: der Hahn hat lange Schwanzfedern, das Huhn kurze, stumpfe Federn.

So goht e Männli über d'Brucke
het e Säckli auf em Rucke
das isch voll mit Haselnuß
eins, zwei, drei un du bisch duß.

> Stegele, Stegele, eins, zwei, drei
> wer glich ruskommt, der isch frei.

Hit isch Mittwoch
dr Vadder fallt ins Mischtloch
kummt nimmi rus
und du bisch duß.

> Ene, dene, diss, un du
> hesch d Schiß.

„D'Zit isch do, d'Zit isch do!"
singt's uf em Nußbaum scho,
gugguh.
„D'Zit isch do, d'Zit isch do!"
singt's uf em Nußbaum scho,
singt's uf em Schleedornhag,
singt's was es singe mag;
's isch Meietag, 's isch Meietag!

's Härz, das singt: „ lang scho do!",
d' Liebi frogt nüt derno, gugguh,
's Härz, das singt: „lang scho do!",
d' Liebi frogt nüt derno.
Laub am Baum, Schnee im Hag,
's Härz, das isch gäng parat
zum Meietag, zum Meietag!

Abenteuerliche Floßfahrt.

Im Mittelalter waren, wie ihr wißt, die Häuser vorwiegend aus Holz gebaut. Einige Zeit später bauten die Holländer riesige Handelsschiffe in großer Zahl ebenfalls aus Holz. Geheizt und gekocht wurde in den Schlössern wie in den Dörfern mit Holz. Holz wurde also in großen Mengen benötigt. Als erstes fällte man die Bäume in Talnähe. Die kahlgeschlagenen Flächen wurden Weiden und Äcker. Aber der Holzbedarf war längst nicht gedeckt. Tiefer und tiefer drangen die Holzfäller in die einsamen Schwarzwaldtäler und hinauf auf die Höhen, wo uralte, mächtige Tannen und Fichten rauschten. Diese riesigen Stämme würden in Holland eine Menge Geld bringen, dachten sich die armen Schwarzwälder. Aber, wie sollte man sie aus dem Wald herausbringen. Es gab weder Straßen noch Traktoren. Der Wald war unwegsam und wild, nicht ein Volkspark wie heute. Das einzige, das aus dem Wald herausführte, waren die gurgelnden Bächlein. Aber halt, das war die Lösung: Nadelholz schwimmt.

Im Januar, wenn es klirrend kalt war, schlugen die

Waldarbeiter das Holz; denn dann führen die Bäume keinen Saft und bluten – harzen nicht. Die kleineren Stämme und Hölzer brachte man mit riesigen Schlitten auf eisglatter Bahn hinab zum Bach. Das war eine lebensgefährliche Arbeit für den Schlittenlenker, der sich vorne zwischen den hochgebogenen Kufen mit aller Kraft gegen den Schlitten stemmte, damit dieser bei Gefälle nicht davon raste und ihn überrollte.

Für die Waldriesen baute man gewaltige Rutschbahnen aus Querhölzern, über die die Holzstämme auf langer Bahn wie Pfeile zu Tal schossen.

Den Bachlauf hatten die Waldleute vielfach aufgestaut, das war vor allem in wasserarmen Jahreszeiten wichtig. Wo der Bach zum ersten Mal gestaut wurde, legte man einen kleinen See an. Die Flößer nannten ihn Einbindstube; denn hier banden sie die Baumstämme zu Flößen zusammen. Mit Pferden und Ochsen schleiften die Holzfäller die zu Tal gebrachten Baumstämme bei. Sie wurden ins Wasser gerollt und von den Flößern dort nach Dicke und Länge sortiert. Da sie immer im Wasser stehen mußten, trugen sie Stiefel, die weit über die Knie hinauf reichten. Diese waren aus

teurem Kalbleder gefertigt und auf besondere Art imprägniert, so daß sie kein Wasser eindringen ließen. Die Baumstämme waren vermessen, sortiert, gekennzeichnet, jetzt hätte man ein Floß daraus binden können. Aber womit? Die üblichen Hanfseile hielten der Belastung nicht stand. Man versuchte es mit Weidenruten. Das funktionierte zwar, aber Weiden waren rar tief in den Schwarzwaldtälern, und der Verschleiß war groß. Einfallsreich, wie die Schwarzwälder immer waren, hatten sie auch hier eine kuriose Idee. Sie fällten junge grüne Tännchen, Fichten, seltener Eichenbäumchen oder Haselnuß und erhitzten sie in einem Bähofen, der einem kleinen Brotbackhäuschen sehr ähnlich sah. Sodann befestigten sie ein erhitztes Stämmchen um das andere mit einem Ende an einem schweren, in den Boden gerammten Holzpfahl, den sie durchbohrt hatten, und wickelten das Stämmchen vom anderen Ende her spiralförmig auf einen Stock. Das war schwere Knochenarbeit. Aber wenn die Arbeiter die Stämmchen wieder vom Wiedestock herunter gewickelt hatten, war ein äußerst stabiles Bindematerial entstanden, das sie Wiede nannten, nach den ursprüng-

lich verwendeten Weiden. Karl Blumenthal, der königliche Hofphotograph aus Wildbad hat gerne den Wiededrehern und Flößern zugesehen und wohl um 1900 diese Bilderfolge aufgenommen. Auf den ersten beiden Bildern sehen wir das Wiedendrehen. Auf dem dritten und vierten Bild erfahren wir, was als nächstes zu tun war: Mit großen Holzbohrern arbeiteten die Flößer Löcher in die Baumriesen, um schwere geschmiedete Eisenösen hineinzudrehen. Durch diese Ösen zogen sie die Wieden und banden so einzelne Stämme zu „Gestöhren" zusammen. Auf den kleinen Wildbächen durfte ein Gestöhr nicht breiter als vier Meter sein. Man band aber mehrere Gestöhre hintereinander. Manche Flöße hatten bereits eine Länge von über 200 Metern. Wichtig war, daß sie beweglich blieben, denn sie mußten sich den vielen Windungen der kleinen Bäche anpassen können. Das Leitgestöhr war schmaler und spitzer gebaut als die übrigen Gestöhre und hieß Vorspitz. Der Tüchtigste unter den Flößern mußte als Lenker auf dem 2. Gestöhr stehen und das Vorspitz über eine lange Stange in der Richtung halten. Auf dem sechsten Foto ist er noch ganz klein ab-

gebildet; das Floß schwimmt von uns weg in eine Linkskurve. Hinten auf dem Floß, uns zunächst, sitzen ein paar unerschrockene Passagiere, die wohl bis ins Dorf hinab mitfahren wollen.

Zur Zeit der Schneeschmelze waren die kleinen Bächlein reißende Wasser, auf denen die beweglichen Flöße sehr schnell wurden. Aber auch in wasserärmeren Zeiten war es eine Mutprobe, eine solche wuchtige Holzlast zu steuern. Denn dann staute man die Bächlein zu vielen Wasser- und Einbindstuben auf. Erreichte nun das Floß das nächste Reservoir, so öffnete man die Schleuse und das Holzgebinde sauste mit dem Wasserschwall davon. Je schwerer und größer das Floß war, um so schneller wurde es bei so einer Fahrt, und um so schwieriger war es zu steuern. Die Flößer waren wahre Teufelskerle. Manchmal passierte es aber auch, daß sie im Übermut, und weil das Geld reizte, mehr Holz einbanden, als sie zu steuern fähig waren. Dann schoß das Floß irgendwo aus der Kurve und strandete. Dabei ging viel teures Holz kaputt, das man jetzt nur noch als Brennholz verkaufen konnte, und es war tagelange Arbeit, die schweren Stämme wieder

ins Wasser zu schleifen.

Hatten sie das Floß aber zu breit gebaut, so blieb es an einer Schleuse hängen, und das aufgestaute Wasser schoß davon. Im Dorf waren die Flößer sehr angesehen. Allesamt waren sie große, kräftige Männer, denen es nicht an Mut und Abenteuerlust fehlte. Sie waren rauh und ungehobelt, aber in ihren Taschen klimperten die Gulden. Manch einer von ihnen war auf einem riesigen Rheinfloß mit den Stromflößern bis nach Holland gekommen.

In Andernach wurden die vielen kleinen Schwarzwaldflöße zu gigantischen Holzinseln zusammengebaut, die bis zu fünf Meter hoch, 80 Meter breit und 400 Meter lang sein konnten. Weitere Handelsgüter lud man oben drauf, und 100 Mann Besatzung bauten sich ein Dorf auf der schwimmenden Insel. So schipperte man nach Holland. Es gab Nachtfahrtverbote, aber das Abbremsen eines solchen Kolosses war so schwierig, daß es nicht immer gelang zu ankern.

Das Leben der Wildbachflößer war anders. Während der Saison hieß es zwischen drei und vier Uhr morgens aufstehen. Oft hatten sie einen weiten Weg berg-

auf vom Dorf zur Einbindstube.

Zum Frühstück einen Schluck Schnaps und ein Stückchen Brot, dann gingen die harten Männer an die Arbeit. Erst um neun Uhr gab es Kaffee und fettgebakkene süße „Strauwele". Zu Mittag nahmen sie ein kräftiges Vesper. Spät abends gingen die Männer zurück zur Herberge, einem kleinen nahegelegenen Gasthof, wo sie für die Zeit des Floßbaus Quartier bezogen hatten. Nun mußte der Wirt kräftig auffahren. Die Floßarbeiter waren hungrig von der langen, harten Arbeit im kalten Wasser. Und so war es nicht ungewöhnlich, daß ein Flößer ein ganzes Pfund Fleisch zu reichlich Kartoffeln und Gemüse verdrückte. Nach dem späten Nachtmahl ruhten sie sich für einen neuen harten Arbeitstag aus.

War das Floß noch nicht fertig, so wanderten sie am Wochenende zurück in die Ortschaften, wo sie Weib und Kinder hatten. Eigenbrödlerisch wie sie waren, gingen sie einzeln in großem Abstand hintereinander her.

Reproduktion der Blumenthalschen Fotos: Foto Schönebeck, Wildbach.

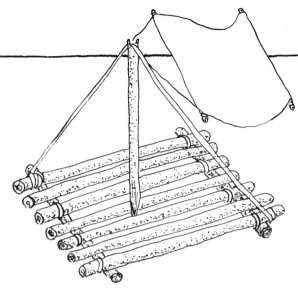

Wer hat Lust bekommen, selbst ein Floß zu bauen?

Wir bauen aber ein ganz kleines, das ohne uns die Wildbäche hinuntersaust. So brauchen wir auch keine Wieden zu drehen, keine Eisenösen schmieden zu lassen und müssen keine Stiefel tragen, die fast bis zum Popo reichen.
Wir sammeln gerade Stöckchen von gleicher Dicke. Mit dem Taschenmesser oder einer kleinen Säge bringen wir sie auf gleiche Länge.

Nun haben wir zwei Möglichkeiten, sie mit Schnur zusammenzubinden:
1. Nehmt zwei Schnüre doppelt und fangt von den Schlaufen her an, die Stöckchen fest einzuflechten, wobei ihr die Schnüre jedesmal überkreuzt.
Hat das Floß die gewünschte Länge, so bindet ihr zur besseren Stabilität zwei Stöckchen quer gegen die anderen.
2. Bei der zweiten Methode werden die beiden Querhölzer gleich mit eingebunden. Ihr nehmt die Schnur einfach und bindet immer um euer Holzgerüst herum, einmal obendrüber, einmal untendrunter durch.
Diese Machart bedingt aber kleine Zwischenräume zwischen den einzelnen Stöckchen.
Das kann ein Vorteil sein, wenn ihr ein Segel am Floß anbringen wollt.
Spitzt einen Stock unten zu und klopft ihn in der Mitte des Floßes in einen Zwischenraum. Wenn ihr ihn oben noch einkerbt und eine Schnur hineinklemmt, die ihr nach zwei Seiten abspannt, so steht euer Mast ganz sicher.
Ein Stück Stoff wird an zwei Seiten über ein Stöckchen gerollt, festgenäht und an den Mast gehängt.

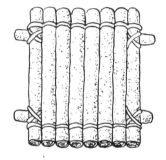
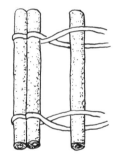

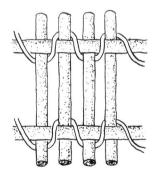

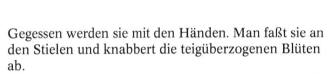

Hollerküchle – Holderle.

Flößen macht hungrig, na klar!
Kennt ihr die Holundersträucher? Sie wachsen wild
am Waldrand aber auch stadtnah bei Gärten und
Parks. Aus den vielen kleinen schwarzen Beeren, die
in großer Zahl auf einer Dolde sitzen,gewinnt man einen dicken schwarzen Saft. Jetzt aber blüht der Holunder in vielen, vielen winzigen weißen Blüten.
Sammelt eine Anzahl dieser weißblütigen Dolden und
tragt sie nach Hause.
Braust sie kurz mit Wasser ab und laßt sie im Sieb ab-
tropfen. Derweil bereitet ihr einen dicken Pfannku-
chenteig aus:
150 g Mehl, 2 Eier, 150–200 ml Milch, (etwas mehr
als 1/8 l Milch) und 1 Prise Salz.
Mehl in die Schüssel sieben, salzen, in die Mitte eine
Mulde drücken, Eier und Milch in die Mulde gießen
und mit dem Schneebesen nach außen hin verteilen.
Wenn ihr Zeit habt, laßt den Teig 20–30 Minuten
ruhen.
Dann gebt reichlich Fett in die Pfanne, nehmt die Ho-
lunderdolden bei den Stielen, taucht sie mit den Blüten in den Teig und backt sie im heißen Fett.

Gegessen werden sie mit den Händen. Man faßt sie an
den Stielen und knabbert die teigüberzogenen Blüten
ab.
Besonders fein schmecken sie, wenn man sie mit Zuk-
ker und Zimt bestreut.

Teigschüssel

Pfanne mit heißem Fett

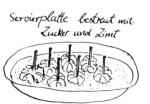

Servierplatte bestreut mit
Zucker und Zimt

Muttertag.

Dieses Jahr wird der Frühstückstisch zum Muttertag besonders schön. Auf jedem Teller soll ein kleines Körbchen aus Breitwegerichstengeln stehen, gefüllt mit hübschen Blüten. Breitwegerich wächst auf Wiesen und Weiden von Mai bis September. Er wird 10–40 cm hoch. Seine Blätter bilden eine am Boden anliegende Rosette. Sie sind im Gegensatz zu den Spitzwegerichblättern breit mit kurzen Stielen.
Für ein Körbchen benötigt ihr ca. 15 Breitwegerichstengel. Ansonsten braucht ihr nur noch eine Schere, etwas Wollgarn zum Zusammenbinden der Stengel und einen Partner.

Alles griffbereit legen, dann wird ein Wegerichstengel von beiden Partnern mit dem Mund festgehalten, bis das Körbchen fertig ist.

1

2

1.+2.) Ein Partner schlingt die Stengel um den „Mundhalm", der andere hält sie fest.
3.) Habt ihr 15–18 Stengel um den „Mundhalm" geschlungen, so werden die Enden fest mit Wollgarn umwickelt und gut verknüpft.
4.) Jetzt biegt ihr den „Mundhalm" nach oben als Henkel, kreuzt ihn und bindet ihn mit Wollgarn fest zusammen.
5.) Zuletzt schneidet ihr, was übersteht, ab, aber nicht zu knapp. Nun braucht ihr das Körbchen nur noch mit Blüten und Blättern zu füllen.

3

4

Kinderzeit – schöne Zeit?

Waren auf dem Land die Eltern so arm, daß sie ihre Kinder nicht versorgen konnten, so wurden die Kinder von der Gemeinde versteigert. Sie kamen dann zu dem Tagelöhner oder Bauern, der am wenigsten Geld dafür verlangte, daß er eins der Kinder in sein Haus aufnahm. Vom 12. Lebensjahr an, wo die Kinder arbeiten konnten, mußte man nichts mehr für sie bezahlen. Jeweils im Mai fand die Versteigerung statt, wobei alle Kinder und Eltern bzw. Pflegeeltern zu erscheinen hatten. Wollten die Pflegeeltern die Kinder länger behalten, mußten sie sie neu ersteigern. Am übelsten waren die Kinder daran, die gerne bei ihren seitherigen Pflegeeltern waren und nun wegen einem Gulden weniger an andere kamen, oder abgegeben wurden, weil die Pflegeeltern jetzt eigene Kinder hatten, die helfen konnten. Da gab es bittere Tränen beim Scheiden.

Der Lorenz kam siebenjährig zum Bauer am Grafenberg, der ihn drei Jahre nacheinander steigerte, aber hart hielt. Schon im dritten Jahr mußte er den Hirten machen. Hirtenbuben, welche noch in die Schule müssen, bekommen keinen Lohn. Sie dienen ihren harten Dienst ums Essen und ums Häs (Kleidung).
Morgens um vier heißt's aufstehen. Bis die Großmagd die Morgensuppe gekocht hat, muß der Hütebub dem Oberknecht im Stall helfen. Dann reihen sich Knechte und Mägde um den großen Tisch am Herrgottswinkel und der Hütebub muß vorbeten. Darauf hört man nur noch das Geräusch der Löffel, welche alle in die große dampfende Suppenschüssel langen. Anschließend spricht man ein allgemeines Gebet zum Fenster hinaus. Dann zieht der Hütebub mit lautem „Hohoho" (Hirtenruf) mit seinen Tieren hinaus auf die Bergweide. Über seiner Schulter hängt eine Tasche mit Brot und in seinem roten Schillee eine faustgroße Uhr, welche alle seine Vorgänger schon mit Stolz getragen haben; damit der „Viehbub" wisse, wann er wieder einfahren (die Tiere in den Stall treiben) solle. Sein Messer ist mittels einer Schnur am Hosenträger befestigt. Schuhe und Strümpfe hebt man auf den Winter auf, und so läuft er eben sonn- und werktags barfuß, bis der erste Schnell fällt.
Wenn's Zeit ist, in die Schule zu gehen, wird der Hütebub abgelöst. Er muß dann eine Stunde und mehr zur Schule hinab laufen und nach der Schule auf mühsamen Bergweg wieder zurück. Nach einem einfachen Essen geht er wieder hinaus zur Herde, bis die Sonne längst untergegangen ist.
Zu manchen Hirtenbuben und Hirtenmaidle kam auch der Heckenlehrer (ein Lehrer, der ihnen auf der Hütewiese unter freiem Himmel Unterricht gab), damit sie nicht hinunter laufen mußten in die Dorfschule.

(nach Heinrich Hansjakob und unbekanntem Verfasser)

Männli-Balles.

Beim Männleballen erhält jedes Kind eine Nummer zugeteilt. Ein Kind wirft den Ball in die Höhe und ruft:
„Männli-Nummer ...".
Während alle anderen fortspringen, versucht das gerufene Männli den Ball zu fangen. Sobald es den Ball in der Hand hat, müssen die anderen stehenbleiben. Das Männli versucht nun, mit seinem Ball einen Mitspieler zu treffen.

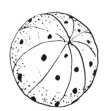

Länderspiel.

Zeichnet einen großen Kreis auf die Erde und teilt ihn in gleiche Teile. Jeder Teil stellt ein Land, eine Stadt oder einen Landstrich dar. Schreibt die Namen in die Felder. Jedes Kind wird Landesherr von einem der Felder.
Der Ball wird emporgeworfen und der Name eines Landes gerufen. Der entsprechende Landesherr fängt den Ball und versucht von seinem Land aus einen der fortlaufenden Mitspieler zu treffen.
Erreicht er ihn, so darf er sich ein Stück Land des Getroffenen aneignen.

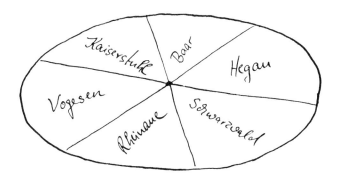

Pfingsten war immer das höchste Fest der Hirten, der Hütebube und Hütemaidli. Am Samstag vor Pfingsten wurde ein großes Pfingstfeuer entfacht, das weithin durch die Nacht leuchtete. In Unterprechtal riefen die Hirten am Feuer:

Morge isch Pfingschtdag
un wenn mir der Bur kei Trinkgeld gibt
so schlag i dem Roß ä Bei (n) ab.

Oft gab es an Pfingsten Reiterwettspiele der Hirten, besonders auf der Baar (Gegend um Donaueschingen/Schwenningen), wo Pferde gezüchtet wurden. Viele dieser Bräuche sind heidnischen Ursprungs. Einige Hirtenbräuche haben die Schüler übernommen, so das Pfingstdreckspiel in Fußbach.

Pfingstdreckspiel

In der Frühe des Pfingstsonntags gehen sechs Buben der 7. bis 10. Klasse in wunderlicher Aufmachung zur Messe. Fünf von ihnen haben schwarze Anzüge an und große schwarze Hüte auf, die geschmückt sind mit schönen Schwanzfedern vom Guller (Hahn). Vier von ihnen tragen Säbel, einer einen knotigen Stock und einen Weidenkorb. Der sechste Pfingstbub aber trägt ein weißes Hemd mit einem dunklen Fleck in der Höhe des Popos. Seinen Kopf ziert eine Narrenkrone aus rotem und weißem Kreppapier – das ist der Hemdschisser. Nach der Kirche wandern sie durchs Tal, von einem Haus zum anderen. Wenn ihnen aufgemacht wird, stellen sie sich militärisch in eine Reihe. Der Vorderste ist der Anführer oder Oberbursch, ihm folgt der Fähnrich. Der dritte in der Reihe heißt Alissimus – von Generalissimus. Der vierte ist der Corporal, dem folgt der Hemdschisser, und ganz hinten steht der Korbträger. Der Oberbursch hebt nun zu sprechen an:

Wir treten herein wohl miteinand
und grüßen Euch hier insgesamt...

Einer nach dem anderen sagt seinen Spruch auf, der Hemdschisser mit verstellter Stimme. Daß ihr ihn aber nicht auslacht! Er hat eine Dose mit schwarzer Wichse dabei, die bekommen diejenigen ins Gesicht geschmiert, die gelacht haben.
Der Korbträger sagt schließlich:

Ich bin der Herr von der Stubentür
und komm zu bitten jetzt herfür:
Schenkt mir von Eurer Habe
eine kleine Gottesgabe,
Speck und Eier, wie's Euch gefällt
und auch einen Beutel Geld.
Nicht zu groß und nicht zu klein,
daß er geht in den Korb hinein;
auch eine Bratwurst darf es sein
zum Fenster raus, zur Tür herein
und dreimal um den Ofen rum
dann sag ich schön
„Vergelts Gott drum".

Nicht selten werden daraufhin die Pfingstdreckbuben mit Most, Bier und Kuchen bewirtet. Sie erhalten auch Eier und Geld.
Ehe sie weiterziehen, sprechen sie ein Dankeschön.

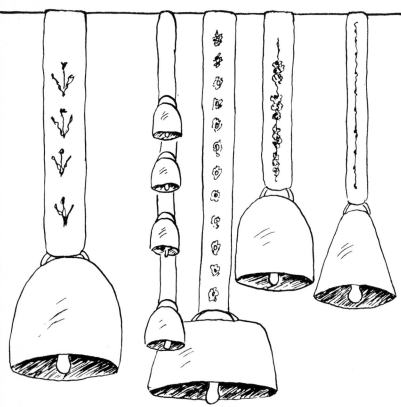

Der alte Maskenschnitzer Tränkle erzählt aus seiner Kinderzeit:

„Wo i elf war, bin i ä Kuhjunge gworde, ä Schwarzwaldcowboy. Des hab i gern gmacht. Mini Eltere habe nur zwei Küh ghabt. Mit dene hab i net auf d' Weidi gehe möchte, des war mer zwenig. Aber der Nachbar het 34 Küh ghabt. Mit dene bin i dann gern auf d'Weidi zoge. Am Feschttag hab i für's Hüte 5 Mark kriegt. Die Baure habe nit immer was gebe, aber der Nachbar war ä angesehner Bauer. An Pfingste war immer Schellemarkt. Do simmer dann hin und habe fürd Küh Glocke rausgsucht. Dort het mer sie kenne tausche oder ä bessers und schöners Gschell kaufe."
Noch heute finden immer am Pfingstmontag auf dem Fohrenbühl bei Hornberg, auf dem Biereck bei Elzach und am Bäreneckle bei Oberspitzenbach die Schellenmärkte statt.

Beim Maskenschnitzer Tränkle.

Der alte Herr Tränkle ist einer von etlichen Maskenschnitzern im Schwarzwald. Er ist schon über 80 Jahre alt und arbeitet noch jeden Tag in seiner Werkstatt von früh bis spät. Aus großen Lindenholzklötzen schnitzt er die Masken. Zuerst setzt er einen großen Bildhauermeißel an und schlägt mit dem Beitel (einem Holzhammer) kräftig darauf:

„D'Fetze müsse fliege!" Aus dem rohen Holzklotz entsteht die grobe Form der Maske. Dann nimmt er immer feinere Meißel und arbeitet immer vorsichtiger. Auf der nächsten Seite könnt ihr es selber sehen. Besucht doch auch einmal einen Schnitzer! Adressen von Maskenschnitzern findet ihr sogar im Branchenfernsprechbuch.

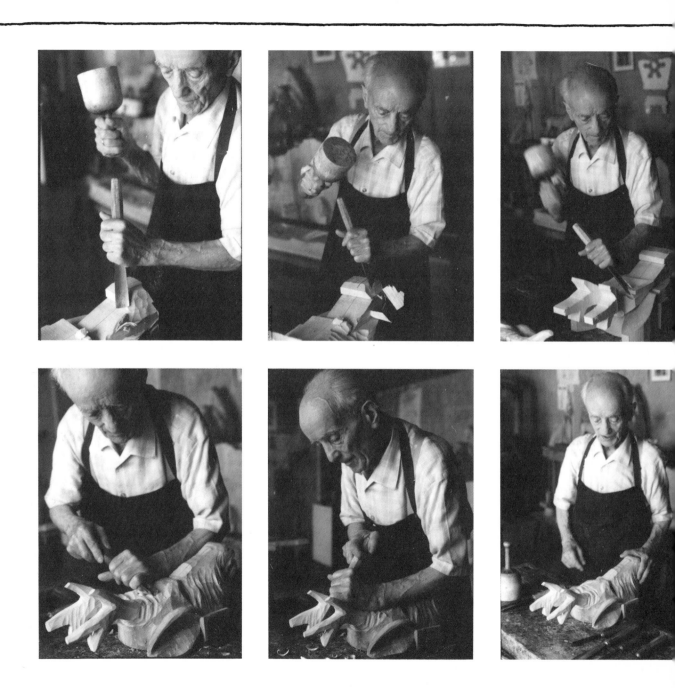

Jeder fängt mal klein an!
Der alte Herr Tränkle erzählt:

„Wo i drei Jahr alt war, hab i s Schnitze agfange. Abends, besondersch im Winter het mer bei der Ölfunzel gsesse un bastelt. Die Fraue habe der Hanf gsponne, un die Männer habe Reisigbese bunde. Da habe se große Reisigbündel reigholt un Wette gmacht, wer die meischte Bese mache ka. Mei Vadder hat mir bald ä Taschemesser gschenkt. Im Wald hab i nach kleine Aschtgable gschaut; des ware dann die Bein für so ä Menniken. Manchmal ware weiter obe sogar noch zwei Zweigli dran, die mer grad als Ärm het nemme kenne. Wenn net, hab i ä Löchli durchbohrt un ä Zweigli durchgschobe. I hab au gern ämol so dicke Kieferrinde aufglese, die het mer so schön schnitze könne.

Mit meinem Vadder hemmer au scho Maske geschnitzt. Do hemmer so ä Baumstück gsucht, wo in der Mitte ä Ascht rausgewachse isch. Des wars wichtigste, denn der het jo d'Nas gäbe. Zwar, mir hen den Ascht von hinte scho au ä bißli usghölt, s'het ja unsere Nas ribasse misse. Des isch schlecht zum schniede gwese. Dann hemmer no s' Kinn ausghölt un an der Seite rechts un links ä Loch nei gebohrt, wo mer ä Schnur durchzoge hen. Die Schnur hemmer mit em ä Stöckli unter der Nas gspannt, damit die Mask net vom Gsicht grutscht isch.

Wir können auch Masken basteln.

Ganz einfach, aber sehr witzig, diese Stabmasken. Ihr könnt sie euch vors Gesicht halten oder am langen Stab mal rasch irgendwo um die Ecke schauen lassen. Geht zum Schreiner und fragt ihn, ob ihr in seiner Abfallkiste stöbern dürft. Ihr braucht eine Holzplatte, ein Stück Spanplatte oder Sperrholz als Gesicht. Darauf nagelt oder leimt ihr verschiedene kleine Holzstückchen als Augen, Nase, Mund, Haare und Bart.
Wenn ihr einen kleinen Handbohrer habt, könnt ihr in die Gesichtsplatte auch zwei Augenlöcher bohren, durch die ihr sehen könnt. Zeichnet die Augenlöcher auf, macht die Platte mit einer Schraubzwinge an einem Tisch, auf den ihr ein altes Brett gelegt habt, fest und bohrt nun Loch an Loch auf der gezeichneten Linie, bis die Augenlöcher ausbrechen.
Die Maske leimt ihr jetzt auf eine Latte oder nagelt sie von hinten an. Vorsicht, daß die Nägel vorne nicht durchkommen!

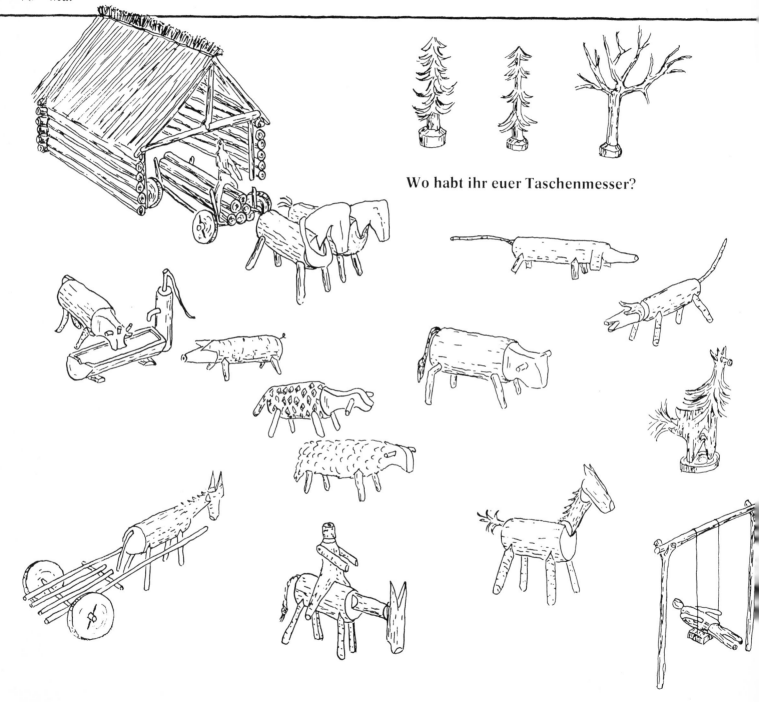

Wo habt ihr euer Taschenmesser?

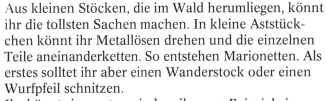

Zum Schnitzen sind die Taschenmesser am besten, die eine Arretierung haben und dadurch nicht zusammenklappen können, wenn man sie mal falsch ansetzt. Wichtig: die Messerklinge muß immer von euch weg zeigen! Ihr dürft nie auf euch zu schneiden!

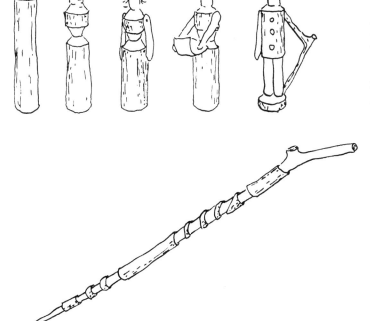

Aus kleinen Stöcken, die im Wald herumliegen, könnt ihr die tollsten Sachen machen. In kleine Aststückchen könnt ihr Metallösen drehen und die einzelnen Teile aneinanderketten. So entstehen Marionetten. Als erstes solltet ihr aber einen Wanderstock oder einen Wurfpfeil schnitzen.

Ihr könnt sie mustern, indem ihr zum Beispiel einzelne Rindenringe herausschneidet. Dazu müßt ihr die Rinde erst rundherum einkerben, dann herauslösen. Als nächstes probiert ihr eine Spirale. Den Wurfpfeil spitzt ihr vorne an.

Wenn ihr schon ein bißchen geübt seid, könnt ihr mit Figuren anfangen: mit Männern, Frauen, Tieren, Bäumen. Am leichtesten ist eine Frau zu schnitzen. Zuerst schneidet ihr Hals und Taillenansatz heraus. Dort wo die Arme sitzen sollen, muß das Holz etwas abgeflacht werden. Die Arme werden aus dünnen Stöckchen gesondert hergestellt. Körper und Arme werden dann durch ein festes Hölzchen, das ihr euch zurechtschnitzt, miteinander verbunden. Die Einstecklöcher dafür müßt ihr vorbohren.

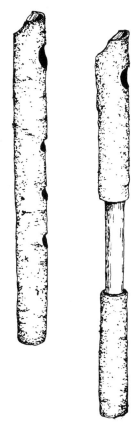

Maienflöten aus Esche, Holunder, Weide oder Eßkastanie.

Jetzt ist die richtige Zeit zum Flötenschnitzen. Die Maienflöte aus Esche, Holunder, Eßkastanie oder Weide ist nicht ganz leicht herzustellen, dafür könnt ihr mit etwas Übung sogar eine Melodie darauf spielen. Schneidet euch ein glattes Ästchen. Es darf keine Knospen und Zweige haben; denn an diesen Stellen ist die Rinde durchlöchert. Ihr müßt es frisch im Wald schneiden und bearbeiten, sonst wird die Rinde zu trocken. Nun könnt ihr entweder eine längere Rin-

denflöte mit Grifflöchern oder eine kürzere (10–15 cm lang) fertigen, bei der man die Tonhöhe verändern kann, wenn man das abgeschälte Ästchen mal tiefer, mal weniger tief in die Rinde schiebt.
Als erstes schneidet ihr das eine Ende des Ästchens schräg ab – das wird das Mundstück.
Als zweites bringt ihr einen halbmondförmigen Querschnitt für das Luftloch an. Dabei braucht ihr nicht sehr tief zu schneiden; nur die Rinde muß gut durchtrennt werden. Dasselbe gilt für den dritten Schnitt, mit dem ihr das Luftloch aushebt.
Als nächstes durchtrennt ihr die Rinde am unteren Rand eurer Flöte.
Nun beginnt eine kleine Geduldsarbeit. Mit dem Taschenmesser klopft ihr ringsherum die Rinde, damit sie sich löst. Aber Vorsichtig! Sie darf nicht brechen, sonst tönt die Flöte nicht. Am besten, ihr sagt während dieser Arbeit vor euch hin:

Wide saft, saft, saft	Esche, Esche, Eschensaft
un spring mer nit	Rinde löse dich vom Schaft
Wide saft, saft, saft	Esche, Esche, Eschensaft
un spring mer nit.	Rinde löse dich vom Schaft.

Löst sich die Rinde, so zieht ihr sie vorsichtig vom Stöckchen. Jetzt fehlt nur noch das Mundstück. Das fertigt ihr aus dem vorderen Stück des Stöckchens, das ihr gerade aus der Rinde gelöst habt. Ihr seht die Stelle, an der ihr das Luftloch eingekerbt habt. Genau oberhalb trennt ihr das Klötzchen ab, flacht es etwas ab und steckt es in die Flöte, daß ein schmaler Schlitz bleibt, durch den die Luft in die Flöte dringt.
Die Tonhöhe könnt ihr nun wie gesagt vermittels des Stäbchens oder eingeschnittener Grifflöcher verändern.

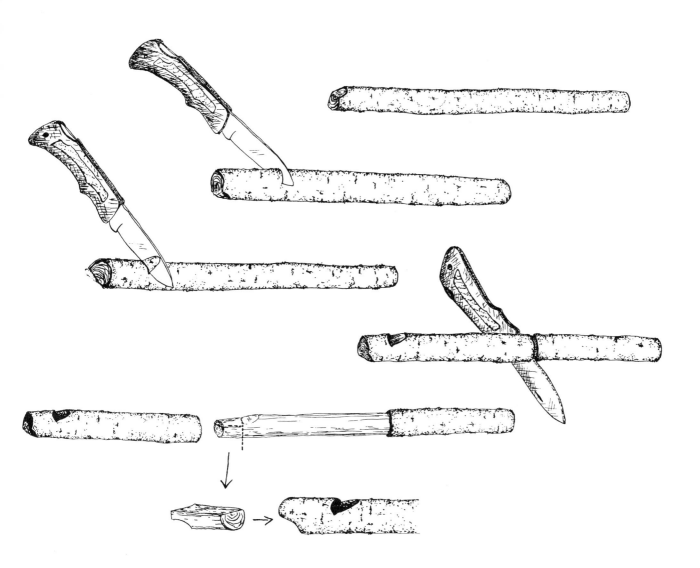

Herrgottstag

An Fronleichnam, dem „lieben Herrgottstag" sind die Häuser an der Prozessionsstraße, über die der Zug der Gläubigen mit den Monstranzen führt, mit Bildern, Kränzen und Blumen geschmückt. In manchen Orten werden wunderschöne Blumenteppiche, Bilder aus lauter frischen Blüten, auf der Straße ausgelegt. Das soll Segen über Mensch, Vieh und Feld bringen.

Man stellte früher Körbe mit verschiedenen Kräutern auf die Altäre.Wenn der Geistliche einen der Altäre verließ, drängten sich die Leute zum Korb, um sich aus den Kräutern ein Sträußchen zu machen, das bei der Ernte in die letzte Garbe gebunden wurde.
In Öflingen bei Säckingen nimmt man nach Fronleichnam die Zweige mit nach Hause, die die Kirche schmückten. Man bringt sie im Stall an. Das schützt das Vieh vor Schaden. Anderswo wird das Laub, das man vom Altar genommen hat, dem Vieh verfüttert. In Endingen am Kaiserstuhl bringt man während der Prozession Wein und Äpfel auf die Altäre. Anschließend gibt man beides den Kindern, damit sie gesund bleiben. In Unzhurst bei Bühl legte man früher einen Blumenkranz auf die Altäre. Die Kinder, die man nachher in diesen Kranz hineinstellte, wurden ungemein groß und gediehen auch sonst gut.

Es regnet.

Ich weiß euch einen prima Zeitvertreib:
Ihr braucht ein Stückchen Papier und einen Bleistift.
Den Papierstreifen faltet ihr in der Mitte. Nun zeichnet ihr einen Holzhacker auf die erste Seite, der sein Beil auf den Klotz geschlagen hat. Dann blättert ihr um und malt den gleichen Holzhacker auf dem darunterliegenden Blatt auf die gleiche Stelle. Aber diesmal hält er das Beil hoch überm Kopf. Wenn ihr nun das vordere Blatt ein wenig um einen Bleistift rollt und diesen dann schnell mit dem oberen Blatt von rechts nach links und von links nach rechts bewegt, so stellt ihr fest, daß der Holzhacker tatsächlich Holz hackt. Ist das ein Spaß?
Probiert es mal mit einem Kind, das Seil hüpft, oder mit einem Vogel, der fliegt, oder laßt doch einen Hund mit dem Schwanze wackeln.

Rege, Regetropfe
D'Bube muß mer klopfe
D'Maidli derfe Scheesefahre
D'Bube mien im Dreck rum wale.

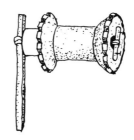

Eine Fadenrolle saust durch's Zimmer.

Von einem alten Fahrradschlauch schneidet ihr ein schmales Ringgummi ab. Das fummelt ihr durch die Fadenrolle, die ihr mit Kerben versehen habt, und klemmt es mit zwei Stöckchen fest. Das eine Stöckchen wird gekürzt und mit zwei Nägelchen an der Fadenrolle befestigt. Das andere dreht ihr, um das Gummi aufzuziehen. Und schon schnurrt die Fadenrolle los. Zwischen das Fadenröllchen und das bewegliche Stöckchen könnt ihr noch eine Wachsscheibe (von einer Kerze) auf das Gummi fädeln. Dann reibt das Stöckchen nicht mehr an der Fadenrolle.

Der König ging spazieren

Der Kö-nig ging spa-zie-ren mit sein hun-dert-tausend Mann sein hundert-tausend Mann sein

hundert-tausend Mann. Der Kö-nig ging spa-zie-ren mit sein hundert-tausend Mann, sein hundert-tausend Mann

oh Ro-sa Li-na oh Ro-sa Li-na oh Ro-sa Li-i-na mit sein hun-dert-tau-send Mann.

Ein Tänzchen gefällig?

Wenn ihr eine lustige Gruppe seid, dann probiert doch diesen hübschen Tanz zusammen. Jemand unter euch sollte die Melodie schon kennen. Um sie zu lernen, spielt ihr sie einfach ein paarmal mit der Blockflöte. Wo mehrere Noten übereinander stehen, nehmt ihr immer die oberste, die anderen sind die Begleitung. Könnt ihr das Lied singen, so kann der Tanz beginnen: Stellt euch zwei und zwei hintereinander auf.
Während ihr singt: „Der König ging spazieren...", schreitet ihr paarweise hintereinander im Kreis (Die Paare halten sich an der Hand).

Beim letzten: „... hunderttausend Mann" lösen sich die Paare und stellen sich so gegenüber, daß eine lange Gasse entsteht. Sie klatschen zur 2. Hälfte des Liedes in die Hände, das vorderste Paar reicht sich beide Hände.
Wenn ihr singt: „Oh, Rosa Lina, oh Rosa Lina", springt das vorderste Paar 8 Seitgaloppschritte durch die Gasse und 8 wieder zurück.
Während ihr singt: „Oh Rosa Lina mit sein hunderttausend Mann", springt dieses Paar noch mal im Seitgalopp durch die Gasse auf den hintersten Platz.
Jetzt ist das 2. Paar ganz vorne, und der Tanz beginnt von neuem.

Festtagsschmuck

Fingerringe:

1. Wir nehmen ein Gänseblümchen oder eine Marge-
rite und durchstechen mit einem dünnen Ästchen
von oben nach unten das gelbe Körbchen und den
Stiel unterhalb des Blumenköpfchens.
2. Nun führen wir den Stiel sorgfältig von unten nach
oben durch den vorgestochenen Kanal.
3. Wenn er gut am Finger sitzt, klemmen wir den vor-
stehenden Stiel ab.

Ketten und Kränzchen:

Wenn ihr viele Gänseblümchen – Fingerringe inein-
ander hängt, erhaltet ihr ein dekoratives Kränzchen
oder sogar eine Kette: Zuerst also einen Fingerring
basteln. Ehe ihr den 2. Fingerring schließt, fahrt ihr mit
dem Stiel durch die Schlaufe des 1. Fingerrings. So
hängen sie fest aneinander.

Ohrringe:

Hübsche kleine Blüten könnt ihr mit dem weißen Saft
aus der Löwenzahnblüte direkt ans Ohrläppchen kleben. Wenn ihr den Klebsaft der Löwenzahnblüte auf
die Unterseite der anderen Blüte getupft habt, klebt die
Blüte schnell ans Ohr und preßt sie etwas an.

Ein zweites Kränzchen:

Den Blütenstiel eines Gänseblümchens oder einer Mar-
gerite schlitzen wir mit dem Daumennagel gut 5 mm
unter der Blüte ein. Durch diese Öffnung ziehen wir
den Stiel der zweiten Blume, bis der Blumenkopf an
den Stengel stößt. Der zweite Stiel wird ebenfalls mit
dem Daumennagel aufgeschlitzt, der nächste Blumen-
stiel durchgezogen und so fort, bis sich die Blumen-
kette zu einem Kränzchen schließen läßt.

Im Wald.

Wenn ihr ein dickes Stück Kieferrinde findet, könnt ihr Schiffe oder Enten daraus schnitzen, die schwimmen. Fallen sie um, so habt ihr sie nicht breit genug gemacht im Verhältns zur Höhe oder die Rinde in der falschen Richtung bearbeitet.

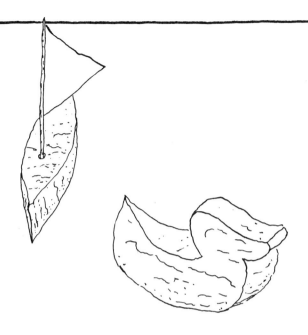

Mit euren geschnitzten Wurfstecken könnt ihr verschiedene Spiele machen:
Steckt ein Aststück in den Boden. Wer mit seinem Wurfstecken am nächsten wirft, hat gewonnen und erhält einen Wurfstecken von dem, der am weitesten entfernt war.

Oder ihr steckt die Wurfstecken hintereinander in den Boden. Dann schlingt ihr euch Ringe aus Weidenruten oder aus langen Gräsern, Binsen oder Stroh, die ihr mit Bindfaden (Schnur) umwickelt und festigt. Nun, wer ist am geschicktesten? Über den vordersten Stecken haben noch alle den Ring gebracht, wer von Euch schafft es noch, über den Stock ganz hinten?

Kräuter gegen Insektenstiche:

Legt frische Blätter von Basilikum, Borretsch, Minze, Petersilie, Zitronenmelisse oder Ringelblume aus dem Garten auf den Stich, das lindert die Schmerzen und mindert die Schwellung.

Vreneli, wie isch des wenn öber stirbt?
aus dem „Hotzenschatz" von Gerhard Jung.

Rickeli:	Wie isch des, wenn öber stirbt, Vreneli?
Severin: (großspurig) (er spielt die Szene vor)	Des weiß i! Des han i bim Großvater gseh! Zerst gheit mer uf eimol um un lit am Bode un stöhnt – oh je – oh je – helfet mer – oh je . . . . . aber uf eimol gheit de Chopf umme un no wird mer ganz still un stiif: No tüen si eim d Händ uf em Buuch zsämmelege zum bätte un drucke eim d Auge zue, aß mer schloft!
Bläsi:	Däno hole si e Brett uf de Bühni un lege eim druf un trage eim furt.
Rickeli:	Trage si eim däno uf de Gottsacker ins Grablöchli?
Severin:	Dummi Chuch! Sell isch erst spöter, wenn de Totebaum do isch un de Pfarrer – bis dört lit mer uf em Brett in de Stube un d Lüt chömme un luegen eim a, wie wenn si eim no nie gseh hette – di meiste sprütze eim no mit Weihwasser a! Mänki hüülen e weng – aber däno göhn alli in d Chuchi, dört trinke si däno e Schnaps däno lache alli wider!
Rickeli:	Im Grablöchli wott i nit lige! Dört tät s mer gruuse – dört isch es dunkel – un so ällei un soviil Dreck über eim. Do het i Angst!
Genovevli: (drängt sich an Vreneli)	I au! Häsch du kei Angst, Vreneli?
Vreneli:	Ihr sin dumm! Lueget, Chinder, wenn e so ne chlei Menschli uf d Welt chunnt, däno isch es jedismol fast wie wo de Herrgott de Adam erschaffe hät.

Maieli:	Werde alli us Dreck gmacht?
Severin:	Quatsch! Di chleine Chinder chömme us em Buuch vo de Muetter – wie bi de Chüeh au un bi de Säu!
Fridali:	Du spinnsch doch! Us em Buuch vo de Muetter?
Vreneli:	Nei, nei de Severin hät scho recht. Aber e weng anderst isch es bi de Mensche doch wie bi de Tierer!
Maieli:	Wie isch es bi de Mensche?
Vreneli:	So wie de liebi Gott im Adam siin Ode – sii Schnuufi – iineblose un iineghuucht hät, so huucht er jedem siin Oden ii –
Genovevli:	Was isch des, de Ode?
Vreneli:	Des isch de Huuch vom liebe Gott – dem sait mer „Seele". Des hät jede Mensch in sich inne!
Bläsi:	I au? Han i au do inne eso ne Blosi vom liebe Gott?
Vreneli:	Natürlich! Jedis vo uns hät eso ne Seele!
Maieli:	Wie siht die uus?
Vreneli: (sie haucht Maieli an)	Hä wien en Huuch halt uussiht. Sihsch, jetzt sihsch immer no gliich uus – un häsch doch e Huuch in dir. So isch es au mit de Seele – e Seele isch Duft un Ton – aber Duft un Ton vom liebe Gott.
Severin:	Aber wenn de Mensch stirbt?
Vreneli:	Wenn e Mensch stirbt, däno chunnt alles in Bode, was vo de Erde cho isch. Aber d Seele, die chunnt nit unter de Bode, die holt de liebi Gott zruck.

Die schlupft zue sellem Liib uuse, wo uf em Totebrett
lit; si sait allene ganz im Stille Adje un „lebet wohl"
un goht us em Huus furt un macht e witti, witti Reis,
wie öber, wo mit em Postwage fahrt, nume viil, viil
witer un gschwinder!
Villicht sin acht Schimmel dävor oder gar zwölf?
Villicht isch sell Wölkli dört obe am Himmel eso ne
Wage, wo jetz grad e Seel ufereist zum liebe Gott?

Bläsi: Haltet de au neume, de Wage?

Vreneli: I denk scho! Lueg, dört äne uf em Gugelberg isch
ämend die ersti Station oder uf em Belche – un die
zweiti isch uf em Mond un die dritti isch uf em
Morgestern; un immer witer gohts die ganzi langi
Sternestroß uf, wo mer als z Nacht am Himmel siht.

Genovevli: Je, des mueß schön sii!

Vreneli: Jo, des isch schön! Un denket:
Jede Stern isch e Huus; un vor jedem Huus stöhn
Seele un winke dir zue – un s sin viil däbii, wo du
gchennt häsch: Di Muetter villicht oder s Ähni – un
d Nochbere, wo scho lang tot isch oder selli gueti
Frau vo Basel, wo de amig d Heidelbeeri verchauft
häsch oder d Grumbire!
Alli, wo vor dir gstorbe sin, sin dört obe. Un alli
grüeße di lieb un göhn e Stückli neben em Wage her
un singe „Halleluja" un „Christus ist erstanden von
des Todes Banden" wie an de Ostere!

Genovevli: We mer dir zuelost, möcht mer grad scho gstorbe sii!
Un im Wage sitze!

Bläsi: Un i hock uf em Bock bim Postillion!

Vreneli: Ihr Närrsch!
Des cha mer nit eifach eso wünsche.

Jedi Seele mueß warte, bis Gott si wider zue sich rueft. Un si mueß sich vorher s Reisgeld verdiene mit Guetsii un Freud-mache – un mänki au mit viil Liide un Truurigsii!

Rickeli: Aber di Böse? Chömme selli au in sell Sterneland?

Vreneli: Alli chömme dörthi. Weisch, in allene isch jo de Huuch vom liebe Gott. Un de bruucht en wider! Aber die wo bös gsi sin uf de Erde, weisch, die hän au e böse Weg? Für die fahrt kei Wage, die müen en steinige un dornige Weg goh un schellewerche, wo s chalt un bös isch, solang bis alles Übli un Schlechti abbröckelet isch vom Seelechleid.

Bläsi: Was passiert däno mit de Böse, Vreneli?

Vreneli: Häsch gester z Nacht de Vollmond gseh, Bläsi?

Fridali:
(sie zeigt mit ausgestrecktem Armen die Größe an) I han en gseh! Sooo groß isch er gsi un chugelirund!

Vreneli: Un häsch au gseh, was drin isch, im Mond?

Rickeli: Gell, e Ma isch drin! Sell hät mi Großmuetter gsait!

Vreneli: Jo, e Ma isch im Mond. Un gheiße hät er – wie hät er gheiße? Hä villicht Bläsi oder Severin oder Dieterli – s isch jo eitue.
Aber aß er e Tuenitguet gsi isch, solang er glebt hät uf de Welt – sell isch nit eitue!
E ganz schlimme Kerli isch er gsi!
Gstohle hät er un zünslet un gloge, no schlimmer wie de Vihhändler-Hobbi.
Wer s eso tribt, de goht e schlimme Weg!
Emol – s isch a me Sunntig gsi, denket numme, am hochheilige Dreifaltigkeitstag isch es gsi – do goht de Kerli in Wald un stihlt e ganze Wage voll Welle, won

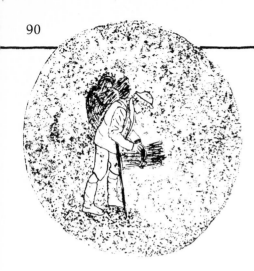

en arme Ma gmacht gha hät für sii großi Famili.
Un grad, won er die letzti Welle hät ufglade un hät
glacht un gsait: „Mer fahrt doch komod, wo anderi
gschafft hän" – do hät de liebi Gott sii Seel von em
zruckverlangt.
Un er isch gstorbe in siinere Sünd, s hät em niemer e
Träne nochghüült!

Fridali:
(beklommen)

Un wo isch jetz dem sii Seele?

Vreneli:

Dört obe isch si, erst an de zweite Station uf em
Mond. Dört stoht si in de Chälti un im Wind un
mueß Welle mache – soviil Welle, bis alli arme Lüt
uf de Welt nümmi friere.
Lueg selber hüt z Nacht, wenn de Mond ufgoht ob en
nit sihsch, wie n er d Wid draiht un um d Bengel
umelegt – un er hät no mänk Johr un mänki Stund z
tue, wenn er für jedi Sünd e Welle drülle mueß!

Severin:

Dem gschiht s recht! De isch jo ganz selber tschuld!

Vreneli:

Severin, Severin!
Weisch du, wie s dir emol goh wird im Lebe?
Lueg, mir alli hän nebenem Herrgottshuuch vom
Paradiis her au e Sprützer Schlangegift mitkriegt,
won is d Seele vergifte will.
Mir wönn nit großtue über die, wo sich hän vergifte
lo! Mer wönn lieber all dra denke, wie mer dene helfe
chönne uf ihrem schwere Weg in s himmlisch
Heimetdorf.
We mer in Güeti un Liebi an si denke un au emol e
Arbet für si uf is nehme oder e weng Leid un
Chummer, däno chürze mer villicht mänkem sii
schweri Zit ab.
Do däzue mög is Gott helfe!

Johanni-Johannesfest

Vielfach wird noch heute am Tag „Johannes der Täufer" die Sommersonnenwende gefeiert.
Am Abend wird auf den Höhen ein Feuer gemacht.
Die Kinder gehen zuvor von Haus zu Haus und sammeln Holz. Sie rufen:

Kei mer (wirf mir) au ä Scheitle ra,
Zum St. Johannes Gukelefier,
Ois, zwoi oder drui.

Wer kein Holz gibt, hat keinen Segen vom Johannisfeuer. Die Kinder rufen:

Es ist eine alte Frau im Haus,
gibt kein Stückel Holz heraus,
Holz zum Feuer.

In Niederschopfheim singen sie:

Genn is (gebt uns) au e Stüdli
Zum St. Johannisfürli
S'Fürli welle mer, baihe
Zum St. Johannistage
Glück in's Hus, Unglück rus,
Werfe alli, alte Schitter (Scheite) rus.

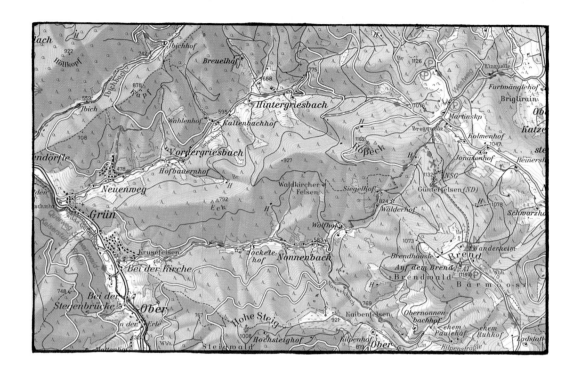

Das Wandern ist des Müllers Lust – wenn er die Wanderkarte lesen kann.

Ist es nicht prima, sich ein neues Fleckchen dieser schönen Welt zu Fuß bekannt zu machen?
Seid ihr schon einmal von Hintergriesbach zum Brend und von dort zurück nach Grün gewandert? Ich habe die Tour noch nie gemacht, und dennoch kann ich euch den Weg beschreiben. Wie? Seht euch einmal die Wanderkarte an und vor allen Dingen die Zeichenerklärungen dazu! Wir treffen uns also in Hintergriesbach an der Mühle. Nun können wir entweder zunächst auf einem Fahrweg zur Martinskapelle und Bregquelle laufen, oder wir gehen am Griesbach entlang ein Stückchen das Tal vor, um auf einem Wirt-schaftsweg zu den Waldkircher Felsen zu gelangen. Unser Weg ist zu Anfang von Wiesen und Laubbäumen gesäumt, erkenntlich in der Karte durch zwei grüne Pünktchen für die Wiesen und einen Kreis mit waagrechtem Strich für Laubbäume.Richtig, die grünen Spitzhütchen bezeichnen Nadelbäume. Seht ihr die zarten braunen Linien in der Karte? Sie bezeichnen die Höhenlinien. Je enger sie zusammenliegen, desto steiler geht's hinauf. Kaum sind wir im Wald, steigt unser Weg an. Dann geht es gemächlich zu den Waldkircher Felsen. Das wiederum erkennt ihr daran, in welchem Winkel der eingezeichnete Weg zu den Höhenlinien steht. Läuft der Weg parallel zu den Höhenlinien, so ist er eben, läuft er aber gar senkrecht zu den eng zusammenragenden Höhenlinien, so steigt er ge-

Zeichenerklärung

——————— Befestigter Fahrweg

———— Wirtschaftsweg

- - - - - - - - Fußweg

⏜ Brücke

♁ Kirche

+ Kapelle, Feldkreuz

⊥ Bildstock, Gipfelkreuz

▦ Friedhof

⚙ Wassermühle

++++++ Mauer, Zaun

♁ Aussichtsturm

♂ Burgruine

Br Brunnen

Hs Haus

H Hütte

Whs Wirtshaus

Ω Ω̇ Laubwald
  Ω

⋀ ⋀̇ ⋀ Nadelwald

⋯ Wiese, Weide

waltig an. Von den Felsen gehen zwei Wege ab. Welcher ist also der bequemere?

Auf 824 m liegt der Siegelhof. Nicht weit entfernt, am Bächlein, steht eine Mühle. Wir können uns entscheiden, ob wir einem Wirtschaftsweg, der über das Bächlein führt, folgen, oder ob wir den Schwarzwaldvereinsweg einschlagen, der rot gekennzeichnet ist. Dieser Wanderweg überquert einen Fahrweg und verzweigt sich dann. Wir gehen nach rechts ins Naturschutzgebiet Günterfelsen. Am Brend löschen wir den ersten Durst mit Brunnenwasser, steigen auf den Aussichtsturm und essen im Wanderheim ein paar Landjäger mit Brot.

Am Brendhäusle vorbei wandern wir hinab zum Obernonnenbachhof, wo wir ein Hofkreuz oder ein Bildstöckchen finden. Am Nonnenbach entlang gelangen wir zum Kaibenfelsen und weiter vorne zu einem unbekannten Felsen. In Nonnenbach treffen wir auf eine kleine Fahrstraße. Wir verfolgen sie und sehen linker Hand eine Mühle, den Jocketehof, eine Kapelle, einen anderen Hof, hinter dem die Felsen ansteigen, und wieder eine Mühle. Rechter Hand erreichen wir dann einen Steinbruch, die Krusefelsen und schließlich die Ortschaft Grün.

Na, wie hat euch die Wanderung gefallen? Habt ihr all das auch gesehen mit dem Finger auf der Wanderkarte oder gar noch mehr? Je nach Ortsbegebenheit findet ihr noch ein paar andere Zeichen in der Karte, wie zum Beispiel blaue waagrechte kurze Striche für Sumpf und Moor, runde Kringel ohne waagrechten Strich für Obstbau... Benutzt auch die Zeichenerklärung, die jede Karte hat. Nun würden wir aber doch auch gerne wissen, wie weit wir gewandert sind. Unsere Karte hat einen Maßstab von 1:50000. Das bedeutet, 1 cm auf der Karte sind 50000 cm in der Natur. 50000 cm = 500 m = 0,5 km. Mit dem Lineal oder besser noch mit dem Zirkel können wir nun auf der Karte nachmessen, wie weit wir gewandert sind. 1 cm auf dem Lineal bzw. zwischen den beiden Zirkelspitzen ergeben 0,5 km in der Natur. So wären wir ungefähr 14 km marschiert. Hättet ihr's geschafft?

Alte Ritterburgen

Im Schwarzwald und in den Vogesen gibt es unzählige alte Burgruinen. Wenn ihr darin herumklettert, fragt ihr euch gewiß, wie das alles war damals. Also ganz bestimmt nicht so romantisch, wie wir uns das gerne vorstellen.

Hatte ein Ritter Ländereien, so baute er sich in zugiger Höhe eine wehrhafte Burg aus dicken Steinen, um seinen Besitz verteidigen zu können. Ursprünglich bestanden die Burgen entweder aus einem beengten Wohnturm oder dem Bergfried, dem Palas und der Burgkapelle. Der Bergfried war der Hauptturm und wichtigster Teil der Verteidigung. Zugleich war er der letzte Zufluchtsort der Burgbewohner, wenn die Burg gestürmt wurde. Der Eingang des Bergfrieds lag hoch über dem Erdboden und war nur mit einer Leiter zu erreichen, die man schnell heraufziehen konnte. Im Untergeschoß des Turmes waren die Mauern so dick, daß es hier nur ein enges Gelaß gab, das oft als Gefängnis benutzt wurde. Die ersten Bergfriede waren eckig. Später baute man sie rund, weil runde Türme eine schlechtere Angriffsfläche für feindliche Wurfgeschosse

bieten. Auch die charakteristischen Buckelquader haben ihren Sinn in der Verteidigung. Diese rechteckig zugehauenen Natursteine wurden auf der Vorderseite unbehauen, also bucklig gelassen. Das erschwerte den Angreifern das Anlegen von Sturmleitern.

Vom Bergfried ging nicht selten ein geheimer Gang aus, durch den der Burgherr mit seiner Familie unterirdisch aus den Mauern der Festung entfliehen konnte.

Die Burgkapelle konnte ein separater Bau sein, oder sie war dem Bergfried oder dem Palas angegliedert. Auch sie hatte Schießscharten.

Die Küche befand sich bei manchen Burgen im Bergfried, bei anderen in den Gebäuden um den Bergfried herum.

Der Palas schließlich war das Hauptwohngebäude. Es war unterkellert und meist zweistöckig. Im Erdgeschoß befand sich ein heizbarer Aufenthaltsraum für die Wachmannschaft und das Gesinde.

Die Kemenate war ein mit einem Kamin beheizter Raum, meist das Frauengemach. Aber auch hier war es nicht gemütlich warm, es zog durch die Schießschartenfenster, kalt war das Gemäuer. Wenn man dicht am Kamin saß, so wurde man vorne gegrillt, während man hinten erfror.

Klettert ihr in Ruinen herum, so glaubt ihr sicher, die Räume in der Burg seinen zwar nicht zahlreich aber geräumig gewesen. Das täuscht! Tatsächlich gab es einen einzigen Raum für Feste und Empfänge und ansonsten kleine Kämmerchen. Da die Zwischenwände aber aus Fachwerk und Lehm bestanden, finden wir davon keine Reste.

Die rußlige Waffenschmiede, der Ritter von Geroldseck

In einem hübschen Tal, dem Litschental hinter Seelbach bei Lahr findet ihr die Hammerschmiede aus dem 13. Jahrhundert noch immer in Betrieb. Ein kleines Bächlein treibt ein riesiges hölzernes Wasserrad an. Das Wasserrad wiederum setzt die gewaltigen hölzernen Hämmer in Betrieb, und so kann der Schmied die in der Esse glühend gemachten Eisen zu Schwertern, Hellebarden oder Lanzen verarbeiten.

1

2

1. An der Esse bringt der Schmied sein Eisen zur Weißglut.
2.+3. Dann klopft er es grob zurecht mit einem der großen Holzhämmer, die über das riesige hölzerne Wasserrad angetrieben werden.
4. Auf dem Amboß hämmert er das grob vorgeformte Eisen zu einem Schwert oder einer Hellebarde.

3

4

Früher erzählte man sich, die Seen des Schwarzwaldes seien unergründlich tief. Würde man jedoch versuchen, sie auszuloten (zu messen, wie tief sie sind), so würde eine Stimme aus der Tiefe ertönen:

Willst du mich messen,
so will ich dich fressen.

Die Mimmele vom Mummelsee

Ganz, ganz tief unde im Mummelsee isch e Krischtall-palascht. Von dem sin im Winder jede Obed Mim-mele in Liechtgang in de nächschte Ort komme. D'Leit hen se so gern ghett, daß se se obeds nimme fortlasse hen welle. Am e schene Obed hen d'Buebe d'Uhr um e Schtund zruck dreht, dass net so bald zwelfe worre isch denn jede Obed am zwelfe hen d'Mimmele deheim sei misse. Und uf eimol het de Nachtwächter drus blose: „Liebe Leit, lasst Euch sage, unsre Glock het zwelfe gschlage." No sind Mimmele ufgschprunge und hen gheilt: „Des ischs letscht Mol gwä", und sin fort. Un sither sin se nie meh komme. Ab und zu, wenn's dunkel un Nacht isch uf em See un Nebel het, no komme d'Mimmele no ruf uf der See. (in Liechtgang komme – im Winter hat man sich abends gegenseitig besucht, um gemeinsam zu hand-arbeiten, Wolle zu spinnen und zu erzählen – ma isch z' Liecht gange).

Das Glückshämpfeli

Die Getreideernte war früher mit allerlei Bräuchen verbunden. Vor der Ernte wurde auf dem Feld gebetet. Man zog zur Getreideernte frische, wenn möglich sogar neue und weiße Kleider an. Die erste Garbe wurde von einem kleinen Mädchen geschnitten. In die letzte Garbe band man das Kräutersträußchen vom Fronleichnamsaltar. Der erste und der letzte Erntewagen wurden geschmückt. Die letzten drei, sieben, neun oder elf Ähren, die geschnitten wurden, band man mit einem feinen Seidenband zusammen und steckte sie ans Kruzifix in der Wohnstube. Das sollte Glück bringen für die Ernte im darauffolgenden Jahr, deshalb heißt es auch Glückshämpfeli.
Es gab auch den Brauch, daß die Mägde einen schönen Kranz aus Stroh flochten und ihn nach der Ernte dem Bauern überreichten.
Ihr könnt auch kleine Glücksbringer – Glückshämpfeli flechten und verschenken.
Stroh, mit dem ihr basteln wollt, muß gut gefeuchtet sein. Legt es zwei Stunden in heißes Wasser.

Geflochtenes Glückshämpfeli:

Aus 12 Halmen flechtet ihr einen halben Zopf. Fest abbinden unterhalb der Ähren, dann mit dem Flechten beginnen. Auf der Hälfte knickt ihr die Halme nach hinten um und bindet sie unterhalb der Ähren fest. Zum Aufhängen des Glückshämpfelis zieht ihr oben, wo die Halme umgeknickt sind, ein rotes Bändchen durch. Zur Zierde bindet ihr eine Schleife unterhalb der Ähren.

Kleiner Kranz:

Schon mit neun Halmen könnt ihr einen kleinen Kranz flechten. Zuerst die Halme fest aneinanderbinden. Am Schluß die Enden zusammenbinden. Die Überstände kürzt ihr, dann bindet ihr Anfang und Ende aufeinander und knotet eine hübsche rote Schleife darauf.

Strohfiguren:

Wenn ihr Figuren basteln wollt, braucht ihr etwas Bast zum Umwickeln und Abbinden der Strohbüschel.
Ihr könnt lustige Figuren herstellen, indem ihr ein Bündel Halme mehrmals abbindet. Für die Beine wird das Bündel geteilt. Die Arme bestehen aus einem zweiten Halmbündel, das unter dem „Hals" quer durch das Hauptbündel gesteckt wird.

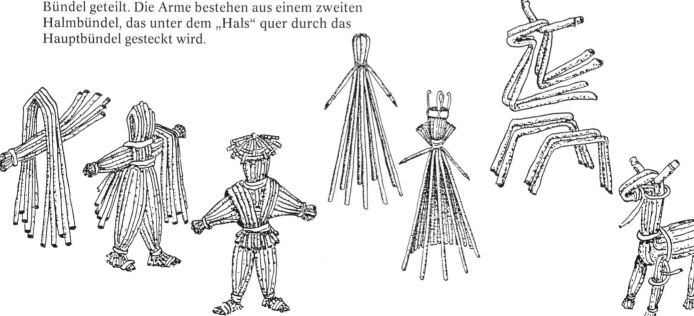

Kräuterbuscheltag.

Die Gottesmutter Maria gilt als Blumenfreundin. So werden zu ihrem Ehrentag in vielen Schwarzwaldorten besondere Sträuße und Gebinde gefertigt. Wie der Name schon sagt, bestehen sie in der Hauptsache aus Heilkräutern. Jede Ortsgemeinschaft hat eine Anzahl bevorzugter Kräuter, die auf jeden Fall in ihre Kräuterbuschel gebunden werden müssen. Rund um Gengenbach haben die Buschel die Form kleiner runder Sträuße oder großer Wagenräder. Anderswo gibt es auch kerzenförmige Gebinde.

Frau Müller aus Schwaibach macht jedes Jahr einen ganz besonders großen und schönen Buschel. Hinein gehören auf jeden Fall Schafgarbe, Salbei,Rittersporn, Tausendgüldenkraut, Magdalenenkraut, Kamille, Raute, Wermut, Goldraute, Fuchskreuzkraut und Johanniskraut. Zuerst müssen all diese Pflanzen im Wald und auf den Wiesen gesammelt werden. Dann hat sie mehrere Stunden Arbeit, die Kräuter zu einem Buschel zu binden. Und früh am Morgen vor dem Kirchgang putzt sie den Buschel mit Gartenblumen noch so richtig heraus.

In der Kirche werden die Buschel geweiht. Wieder daheim, steckt man ein Zweiglein davon ans Kruzifix, ein Sträußchen kommt in den Stall, der Rest des Buschels wandert auf die Bühni (Dachboden). Der Kräuterbuschel ist eine der ältesten Hausapotheken: gegen Übelkeit trinkt man Wermut-Tee, bei Erkältung inhaliert man mit Kamille, Schafgarbe hilft gegen Kopfschmerzen. Wenn aber draußen ein schweres Gewitter tobt, wirft man ein Sträußchen vom geweihten Kräuterbuschel ins Herdfeuer. Der wohlriechende geweihte Rauch soll das Böse abwenden, also verhindern, daß der Blitz einschlägt.

Kamille

Wiesen - Labkraut
(weißblühend)

Badesäckchen, Kräuterkissen

Kräuter lassen sich nicht nur zu Tees verwenden. Ihr Nutzen ist sehr vielfältig.

Kamillen könnt ihr zum Beispiel zum Ostereierfärben verwenden. Breitet die Blütenköpfchen an einem trockenen warmen Ort auf Pergamentpapier zum Trocknen aus. Ebenso verfahrt ihr mit 2 Händen voll Heidelbeeren und Hagebutten, die ihr auch zum Ostereierfärben braucht.

Kräuter lassen sich sehr einfach trocknen. Man bindet sie immer zu kleinen Sträußchen zusammen und hängt sie kopfüber an einen warmen, trockenen aber lichtarmen Platz. Nach einigen Tagen sind die Sträußchen getrocknet und ihr könnt die Blättchen von den Stielen pflücken und in Blechdosen oder Gläsern luftdicht und dunkel verwahren.

Kräftigendes Badesäckchen

Für ein kräftigendes Bad stellt ihr ein Kräutersäckchen her aus:
3 Teilen getrockneter Ringelblumen (orangefarbene Heilblumen aus dem Garten)
3 Teile getrockneter Pfefferminze (aus dem Garten oder Teeladen)
1 Teil getrockneter Kiefernadeln (von Kieferzweigchen im Wald).
Als Säckchen verwendet ihr einfach ein sauberes Nylonsäckchen oder einen abgeschnittenen Nylonstrumpf. Man bindet das Säckchen an einer Schnur am Wasserhahn fest, damit das in die Wanne einlaufende heiße Wasser über die Kräuter fließt. Dann reibt man den Körper mit dem Säckchen ab und drückt dabei den Saft wie aus einem Schwamm aus den Kräutern. Das Säckchen läßt man dann trocknen. Obwohl die Kräuter mit der Zeit an Aroma verlieren, kann man das Säckchen mehrmals verwenden.
Bis zur Anwendung aber bitte trocken, dunkel und luftdicht aufbewahren!

Beruhigendes Kräuterkissen

Für ein Kräuterkissen näht ihr euch ein kleines rechteckiges Leinensäckchen von höchstens 10 cm x 10 cm. Dieses winzige Kissen füllt ihr mit:
2 Teilen getrockneter Pfefferminze
2 Teilen getrockneter Kamille (selbstgesammelt auf den Wiesen)
1 Teil Wiesen-Labkraut oder Waldmeister.
Unter das Kopfkissen gelegt, führt dieses Säckchen bald Entspannung herbei und fördert das Einschlafen. Wenn man es morgens immer in eine Dose zurücklegt, kann man es bis zur nächsten Kräuterernte gebrauchen.

Abends, wenn ich schlafen geh:

Müde bin ich, geh zur Ruh,
schließe meine Äuglein zu.
Vater, laß die Augen Dein,
über meinem Bette sein.
Hab ich Unrecht heut getan,
sieh es lieber Gott nicht an.
Deine Gnad und Christi Blut,
machen allen Schaden gut.
Alle, die mir sind verwandt,
Gott laß ruhn in Deiner Hand,
alle Menschen groß und klein
sollen Dir befohlen sein.
Kranken Herzen sende Ruh,
nasse Augen trockne Du,
laß an Deinem e'wigen Heil
und im Himmel haben teil.
Amen.

Du lieber Heiland, sieh mir zu
heut diesen ganzen Tag.
Gib, daß doch alles, was ich tu,
Dir wohlgefallen mag.
Amen.

Abends, wenn ich schlafen geh,
vierzehn Engel bei mir stehn,
zwei zu meiner Rechten,
zwei zu meiner Linken,
zwei zu meinen Häupten,
zwei zu meinen Füßen,
zwei die mich decken,
zwei die mich wecken,
zwei die mich weisen,
in das himmlische Paradeischen.
Amen.

Kilbi, Kilwe, Chilbi, Kerbe, Kerwe.

Das Hauptfest der Landbevölkerung ist die Kirchweih. „Der echte Bauer gibt eher das Weihnachts- und das Osterfest als die Kirchweih auf." So steht's geschrieben in einem alten Buch.

Kirchweih ist das vielseitigste Fest im Jahreslauf, zum einen Gedenkfest an die Weihe der Ortskirche durch den Bischof, zum anderen Familientreffen und Gräberbesuch. Es ist aber auch ein fröhliches Ernteabschlußfest mit Schmaus, Tanz und Jahrmarkt.

Die Kinder singen in unbändiger Vorfreude: „Hit isch Kilbi, morn isch Kilbi bis am Mittwoch z' Obed..."

In den Dörfern und auf den stillen Schwarzwaldhöfen werden die Stuben geputzt, und die Bäuerinnen backen Berge von fetten „Küechli". Der Bauer holt die fettesten Schweine aus dem „Kremmen", der eingezäunten Weide, um sie zu schlachten und zu Würsten und Gesalzenem zu verarbeiten. Aus der Räucherkammer bringt er die größten Schinken. In manchen Gegenden schlachtet man auch gerne einen Hammel zum Fest. Die Kinder und Dienstboten bekommen neue Kleider, die Mädchen schmücken Brust oder Hut ihres Burschen mit einem Strauß. Nicht nur die Erntehelfer finden sich zur Feier ein sondern auch eine zahlreiche, oft von weit her gewanderte Verwandtschaft. Im Simonswäldertal begibt man sich nach der morgendlichen Milchsuppe im höchsten Staat zur Kirche, die Burschen mit einer Aster hinterm Ohr, die Maidli mit einem durftenden Büschele Salbei oder Rosmarin am Mieder. Wo die Kirchweih noch mit dem Erntedankfest verbunden ist, fertigen die jungen Leute eine Erntekrone aus Kornähren und tragen sie zur Kirche. Nach der Kirche wird im Herrgottswinkel die beste Mahlzeit des Jahres aufgetragen, und man betet. Löffel und Gabeln werden aus den an der Wand angebrachten Lederösen, das Messer aus der Tasche gezo-

Stall, und auf geht's zum Jahrmarkt und zum Tanz. Der Haupttanz ist meist ein Tanzspiel, bei dem es etwas zu gewinnen gibt. Manchmal ist der Preis heute noch ein Hahn oder ein Hammel, beide waren ursprünglich Ernteopfer.

Auf dem Jahrmarkt aber findet man alles, was das Herz begehrt: Kämme und silberne Spangen, feine Schultertücher, Stoffe und Spitzen, Nadeln, Faden, Strohschuhe und Lederschuhe, Wolle und Garne, Filzhüte und Strohhüte, Zuckerwerk und Brezeln, Wecken und Würste, Teller und Töpfe; den billigen Jakob, einen Quacksalber, eine Wahrsagerin vielleicht und ein paar Schausteller.

(nach Hugo Meyer)

gen, und nun greifen alle zu. Der gewürzten, dicken Nudelsuppe folgen Sauerkraut mit Schweinernem, dann Salat mit Würsten, endlich im Fett gebackene Küchle mit gekochten Hutzeln (Dörrobst). Auf anderen Höfen wird zwischen Nudelsuppe und Sauerkraut mit Schinken auch noch Rindfleisch mit Rettich aufgetischt. Am Abend gibt es dann wieder Braten, Küchle, Kaffee und Wein.

Eine Besonderheit der Schwarzwälder und Baarener Kilbi war, daß der Bauer seine „Völker" – Knechte und Mägde vom Oberknecht bis zum Hirtenbub – drei Tage lang selbst bediente und aufs Beste bewirtete.

Nach dem Mahl werden wohl noch die Löffel und Gabeln säuberlich abgeleckt und an die Wand gesteckt, man spricht das Tischgebet, ordnet eilig Küche und

Wer weiß, wie man ein Faß macht?

Besuchen wir einmal den Küfermeister Burkhard in seiner Werkstatt in Oberachern.

Schon von außen erkennt man die Werkstatt des Fässermachers, denn in ganz besonderer Weise hat er seine Holzbretter zu hohen luftigen Türmen aufgesetzt. Drinnen in der Werkstatt duftet es angenehm. Das Licht wird gebrochen vom Holzstaub in der Luft. Die Werkstatt ist voll von runden Faßböden verschiedenster Größe, von Dauben – den einzelnen Seitenbrettern eines Fasses – und von halbfertigen Kübeln.

Ganz einfach, denke ich, man fertigt sich eine Anzahl Latten und stellt sie zu einem Bund, preßt sie mit einem engen Eisenring zusammen und nagelt unten und oben Boden und Deckel darauf. Weit gefehlt! Nägel gibt es in einer Küferei nicht. Alles wird so zusammengefugt, daß es ohne jeden Nagel hält. Nur dann sind die Fässer auch dicht.

Und das ist nun die große Kunst. Um ein gutes Faß machen zu können, braucht man eine gute Ausbildung und einige Erfahrung. Die Arbeit beginnt damit, daß der Küfer sich die Baumstämme selbst zurechtsägt. Für ein Weinfaß nimmt er Eichenholz; kleine Kübel und Wassereimer fertigt er aus Nadelhölzern. Er viertelt die Baumstämme und sägt sie dann in Bretter. Diese Bretter müssen nun zwei Jahre lang luftig aufgesetzt im Freien ablagern. Der Meister muß also immer auf Vorrat arbeiten.

Bekommt er den Auftrag, ein 100-Liter-Faß zu machen, so muß er als erstes genau berechnen, wie groß und wie breit die einzelnen Dauben werden müssen, damit sie ein Faß der gewünschten Größe ergeben. Dann holt er die nötige Anzahl abgelagerter Bretter und richtet sie mit besonderen Schablonen – den Modeln – genau auf die berechneten Maße zu. Die Form einer Daube ist aber recht kompliziert. Für diese Arbeit hat der Küfer einen ganzen Schrank voll wunder-

licher Hobel und Reifmesser. Der Fügeblock jedoch ist ein solch großer Hobel, daß er keinen Platz im Schrank findet. Er ist auch zu schwer, um über das Werkstück gezogen zu werden. So hat er zwei Beine und ein nach oben stehendes Messer, über das der Küfer die Dauben schiebt, um sie schräg abzuhobeln. Wollen die Dauben nicht richtig auf dem Fügeblock gleiten, so fettet der Meister den Hobel mit einem Saunabel.

Daube um Daube richtet er so zu; dreißig Dauben ergeben die Faßform. Der Küfer steckt sie zusammen in den Setzreifen. Unten spreizen sich die Dauben nun aber ab, und ich bin sehr gespannt, wie Meister Burkhard sie in eine Faßform zwingt.

Er macht Feuer in einem eisernen Korb im Freien. Das Feuer prasselt. Nun stülpt er das, was ein Faß werden soll, darüber. Er muß es kräftig befeuchten von außen und innen. Um die abgespreizten Daubenenden legt er eine Drahtschlinge. Er wartet, bis das Faß heiß genug ist. Dann zieht er die Drahtschlinge mit dem Faßzieher immer enger. Man muß vorsichtig arbeiten, damit keine der Dauben bricht, sonst ist die ganze Arbeit umsonst. „E guets Faß mueß au e guete Form ha", verrät uns der Meister. Nur wenn das Faß die richtige Wölbung hat, hält es jahrzehntelang dicht. Damit es in dieser Form bleibt, treibt der Küfer jetzt Eisenreifen auf das Faß, die es eng umschließen. Mit Hammer und Reifensetzer umrundet er Schlag für Schlag das Faß, immer im gleichen Rhythmus. Fast scheint es, als vollführe er einen Tanz. Gewiß hat sich hieraus der alte Faßbindertanz entwickelt, der noch heute bei traditionellen Festen getanzt wird.

Aber zurück zu unserem Faß. Es hat nun seine endgültige Form, muß aber noch eine weitere Stunde über dem Feuer bleiben, damit das Holz die Spannung verliert. Jetzt ist Vorsicht geboten. Man darf es nicht aus den Augen lassen, damit es nicht verbrennt; denn es wird nun nicht mehr befeuchtet.

Es fehlen noch die beiden Faßböden. Hierfür arbeitet der Meister auf der Faßinnenseite oben und unten eine Nut (eine Fuge) in die Dauben, in die die Faßböden paßgerecht eingesetzt werden. Wenn ihr nun glaubt, diese komplizierte Technik sei eine Erfindung unserer Zeit, so irrt ihr gewaltig. Im archäologischen Museum in Freiburg habe ich geküferte Trinkgefäße der Kelten gesehen.

Mir Lüt uf em Land

1. Mir Lüt uf em Land sin so lustig und froh,
   wir füehre e Lebe, 's chönnt besser nit goh.
   Drum chömmet, ihr Städter, betrachtet der Stand
   un lehret au schätze der Bur uf em Land,
   un lehret au schätze der Bur uf em Land!

2. Zwar Chummer un Sorge git's überall g'nueg,
   bim Kaiser, bim König, wie dusse bim Pflueg.
   Isch einer nur z'friede, so lebt er so froh,
   ne jede mueß schaffe, Gott will's halt eso.

3. Am Morge früeh use zuer Arbet ufs Feld,
   mer lön is nit gruse, das bringt is jo Geld.
   Wie meh, daß mer schaffe, je meh got is i
   des isch jo ne Lebe, 's chönnt schöner nit si.

4. Z' Mittag, wenn es heiß isch un d' Sunne so brennt
   do isch is e Stündli im Schatte au gönnt.
   Druff schaffe mer wieder mit doppeltem Muet,
   mer juchzge un singe un mines jo guet.

5. Sin d' Sternli am Himmel, do gömmer halt hei,
   mer setzen 's vor d' Hüser un schwätzen e chlei,
   druf leit me si nieder un: „Bhüet di Gott, Welt!"
   am Morge früeh wieder zuer Arbet ufs Feld.

6. Im Winter do tue mer halt nit eso viel,
   do sitzt mer bim Ofe un isch derbi still.
   Wenn Maidlene spinne, sin d' Buebe au do,
   si juchzge un springe un sin derbi froh.

7. So goht's bi de Bure fast alli Tag zue,
   mer bruche nit z' fulge, denn z' werke git's gnue.
   's chummt eis halt ufs ander, johrii un johrus,
   bald duß uf de Matte, bald drinne im Hus.

8. So isch es 's Lebe bi is uf em Land:
   drum chömmet, ihr Städter, betrachtet der Stand
   Un müesse mer schaffe, es isch üs jo glich:
   der Friede im Herze macht glücklich un rich!

Aus Maulburg im Wiesental

Korbflechten, ein Handwerk so alt wie die Menschheit.

Ob die frühesten Urmenschen schon Körbe hatten, ist vielleicht noch nicht erwiesen. Aber überlegt euch doch einmal: sie sammelten Beeren, Nüsse und Wurzeln. Wie haben sie die wohl nach Hause getragen? Körbe kann man aus vielerlei Material machen, aus Gräsern, Binsen, Stroh, Bast und vielem mehr. Die Korbflechter im Schwarzwald verarbeiten Weiden, die mit ihren kurzen dickköpfigen Stämmen oft an Bächen zu finden sind. Obwohl die Weidenruten durch das Wässern weicher werden, braucht man doch kräftige Hände, um sie zu flechten.

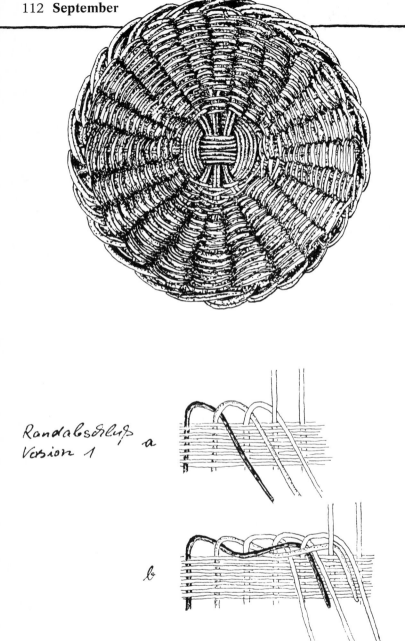

Wie die Korbflechter:

Mit etwas Peddigrohr aus dem Bastelladen fertigen wir einen hübschen Untersetzer an. Für die Staken (das Gerüst) braucht ihr dickeres Peddigrohr, das ihr trokken laßt, als Flechtfaden dünneres, das vor Beginn der Arbeit ein paar Stunden in Wasser liegen muß.
Schneidet euch 12 Staken zu 35 cm und 1 Ersatzstake zu 20 cm ab. Legt die Staken wie auf Zeichnung und Foto 1 kreuzweise übereinander; die Ersatzstake hat nur auf einer Seite die volle Länge. Dann beginnt mit dem Flechtfaden: einmal obendrüber, einmal drunter durch... Nach ein paar Runden teilt ihr die Staken in Paare auf, die Ersatzstake ist einzeln. Noch ein paar Runden, und ihr könnt die Stakenpaare teilen. Jetzt umflechtet jede Stake einzeln. Die Runden schön eng aneinanderflechten. Ist der Flechtfaden aufgebraucht, biegt ihr das Ende zwischen zwei Staken ins Flechtwerk und beginnt mit einem neuen Flechtfaden. Überstehende Enden schneidet ihr am Schluß ab. Ehe der Randabschluß gemacht werden kann, müßt ihr eure Flechtarbeit einige Stunden ins Wasser legen.
Den einfachsten Randabschluß seht ihr unten: Die einzelnen Staken rundbiegen und immer hinter der nächsten Stake ins Flechtwerk stecken, wenn nötig, einkürzen. Schöner ist der links abgebildete Randabschluß.

Randabschluß Version 1 a

b

Randabschluß Version 2

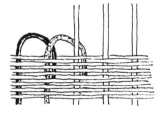

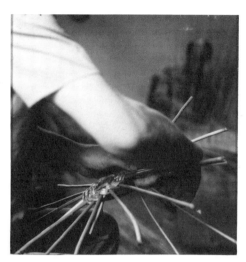

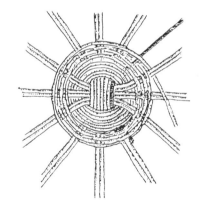

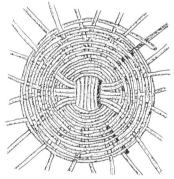

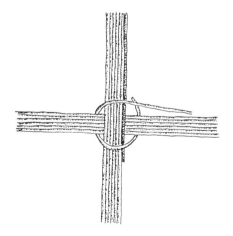

Schon wird es wieder früh dunkel.

Seid ihr traurig, daß die Nachmittage immer kürzer und die dunklen Abende immer länger werden? Aber nicht doch! Auch diese Jahreszeit hält besondere Freuden für uns bereit. Sind nicht die Nüsse längst reif geworden?
Also auf, wir knacken Walnüsse! Aber geschickt, so daß sich die Schalen in zwei unversehrte Hälften spalten. Der Inhalt darf verzehrt werden, mit den Schalen basteln wir.

Ein Mäusle:

Einen Wollfaden kleben wir hinten an die halbe Nußschale, ein paar Fädchen als Schnauzhaare vorne; zwei Äuglein werden aufgemalt und zwei Öhrchen aus Filz oder Papier angeleimt.

Eine Nußtrommel:

Wir umwickeln eine Nußschalenhälfte mehrmals straff mit Faden, dessen Enden wir auf dem Schalenrücken verknoten. Auf der Hohlseite stecken wir ein Zündhölzchen durch die Fäden. Läßt man das Hölzchen an die Schalenwand schlagen, so tönt die kleine Trommel. Laßt uns gleich denTakt schlagen zum lustigen Lied!

Ein Marienkäferle:

Beine, Kopf u. Fühler schneiden wir aus einem Stückchen schwarzen Papier. Auf die Nußschale malen wir Punkte und eine Linie, die die Flügel andeutet.

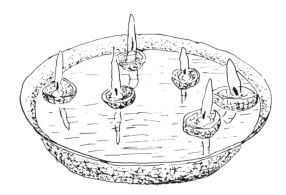

Nun noch was für die Adventszeit:

Ihr braucht Nußschalenhälften, Kerzenstummel und Zündhölzchen. Von einer brennenden Kerze tropft ihr ein bißchen flüssiges Wachs in eine Nußschalenhälfte und befestigt schnell einen Kerzenstummel im warmen Wachs. Habt ihr auf diese Weise einige Kerzenschiffchen hergestellt, so füllt ihr eine hübsche Schale mit Wasser, zündet die Kerzenstummel an und laßt die Schiffchen in der Schale schwimmen. Das sieht sehr schön aus.
Aber bitte nie eine brennende Kerze allein im Zimmer lassen!

Warm und kalt aus einem Mund.

Es war einmal ein Mann, der schlug tief im Wald Holz.
Zu diesem kam ein Waldmännlein, das gar freundlich
zu ihm sprach. Es war aber bitter kalt, denn es war
mitten im Winter, und den Mann fror es sehr an seinen
Händen. Oft legte er die Axt beiseite und hauchte in
die hohlen Hände, um sie dadurch zu erwärmen.
Das Waldmännlein sah dies und fragte ihn, was das
zu bedeuten habe. Der Holzfäller erklärte ihm, daß er
durch den Hauch seines Mundes seine erfrorenen
Hände erwärmen wolle. Das Männlein glaubte es und
war mit der Antwort zufrieden.
Da kam endlich die Mittagszeit, und der Holzfäller
schickte sich an, am Feuer sein Mittagsmahl zu berei-
ten und kochte sich einen fetten Schmarren. Noch immer war das Waldmännlein bei ihm und sah ihm neugierig zu. Der Mann aber hatte großen Hunger und
wollte nicht warten, bis die Speise abgekühlt war, sondern aß sie direkt vom Feuer her. Da sie aber noch
recht heiß war, blies er mit seinem Mund auf jeden
Löffel. Das Waldmännlein nahm dies wunder und
sagte: „Ist der Schmarren vom Feuer her nicht warm
genug, daß du noch daranbläst wie an deine erfrorenen Hände?"
Der Holzschläger aber erklärte ihm, daß er dies tue,
um den heißen Bissen abzukühlen.
Das konnte das Waldmännlein aber nicht mehr fas-
sen. Es sprach zum Holzschläger: „Du bist ein ganz un-
heimliches Wesen; aus deinem Mund kommt bald

warm, bald kalt, bei dir mag ich nicht länger verweilen." Und augenblicklich ging das Waldmännlein
davon.

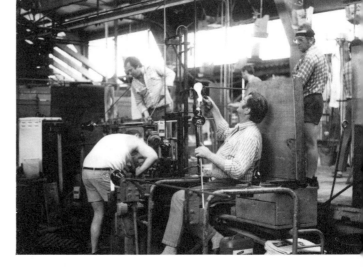

So ein kleiner Glasklumpen ist ausreichend für einen stattlichen Kelch.

Unter geschicktem Drehen und Blasen hat der
Glasmacher einen Kelch modelliert. Ein Kollege
reicht ihm neue Glasmasse aus dem Ofen für den
Fuß des Kelches.

Aus Sand wird Glas

Wußtet ihr, daß man Quarzsand aus den Bächen, vermengt mit Pottasche (verbranntes Buchenholz), zu Glas schmelzen kann, und das schon seit 4000 Jahren?
Man benötigt dazu eine Temperatur von ca. 1450 Grad. Früher feuerte man die Glasschmelzöfen mit Tannen- und Fichtenholz. Deshalb waren die Glashütten, von denen es im Schwarzwald zwischen dem 13. und 19. Jahrhundert an die 50 gab, immer im Wald gelegen. Das Glasmachen verschlang gewaltige Mengen Holz. Um ein einfaches Becherglas herzustellen, brauchte man einen ganzen Kubikmeter Holz. Dabei verbrauchte man das meiste zur Gewinnung der benötigten Pottasche. War der Wald in der Umgebung abgeholzt, verlegte man die Glashütte. Anfänglich freuten sich Äbte und Fürsten über die Rodungen der Glasmacher, denn aus „nutzlosem" Waldgebiet wurde nun Bauernland. Außerdem waren die Wunderwerke des Glasmachers bei der Herrschaft sehr begehrt.
24 Stunden lang muß die Glasmasse geschmolzen werden. Dann taucht der Glasmacher sein metallenes Blasrohr, die Glaspfeife, durch das Ofenfenster in die glühende Masse und holt einen kleinen Klumpen heraus. Durch Rollen auf einer Metallplatte und durch Drehen und Schwenken in der Luft nimmt dieser glühende Klumpen eine gleichmäßige Form an. An der langen Glaspfeife wird er wieder in den Ofen gehalten. Wieder draußen, bläst der Glasmacher die Masse wie eine Seifenblase auf.
Soll ein Henkel oder ein Stiel an das Gefäß kommen, setzt man neue Masse an und zieht sie mit Scheren und Zangen in die richtige Form. Durch Beimengungen von Metalloxyden kann man dem Glas verschiedene Färbungen geben.
Die Bauern im Schwarzwald liebten es auch, die einfachen Gläser mit hübschen Motiven zu bemalen.

Die beiden oberen Bilder zeigen einen Glasbläser vor seinem Ofen. Er hat aus dem Ofen einen Klumpen glühender Glasmasse entnommen, den er nun unter beständigem Drehen der Glaspfeife zu einer Vase „aufbläst".

Mit einer Schere schneidet der Glasmacher die überschüssige Glasmasse ab.

Wer pöpperlet ans Fenster?
Wer pöpperlet an'd d'Tür?
Wer wott so spot am Obe
no ine cho zue mir?

I bi's d Nachtluft dusse
i wott dir sage Chind
wie guet dus hesch und wohlig
in deinem Bettli dinn.

I mueß dur d Nacht dur rite,
wo's finster isch und chalt-
Tue unter d Decki schlupfe,
Guet Nacht, und schlof jetz bald!

Allerheilige, Allerseele, Allerruebe,
was an de Bäum hängt, ghört de Buebe!

Äpfel, die an Allerheiligen noch auf den Bäumen
hängen, gehören nach altem Brauch den Kindern.
Ansonsten ist Allerheiligen eher ein besinnliches
Fest. Man gedenkt der Verstorbenen und besucht die
Gräber. Sie werden geschmückt mit dauerhaften Ge-
binden und einem Windlicht. Früher brachte man
auch geweihtes Brot, Milch, Wein und Seelenstriezel aufs Grab. Seelenstriezel oder Seelenzöpfe sind
eigens für diese Festtage gebackene Hefebrote zur
Speisung der Armen Seelen. Man nahm an, daß an
Allerheiligen und Allerseelen die Seelen der Verstorbenen zu Besuch kämen. Noch früher deckte man
ihnen zu Hause den Tisch, daß sie sich laben könn-
ten. Die gebackenen Seelenbrote verschenkte man
anderen Tages an Arme und Fremde.

Säcklestrecken

In die vorweihnachtliche Zeit fielen früher die Hausschlachtungen. Nach der harten Arbeit versammelten sich die Hausmitglieder zur Metzelsuppe. Da konnte es geschehen, daß es plötzlich am Fenster klopfte. Sah man hinaus, so fand man eine lange Stange, an der ein Säcklein befestigt war. Darinnen befand sich ein „Metzgerbrief". Er lautete zum Beispiel so:

Gueten Obend ihr liebe Metzgerslit!
I han g'merkt, ihr hen g'metzget hit.
Drum bin i mit mim Säckli kumme,
un klopf bi euch am Fenschter umme.
Gen mir en Rippach,
daß mrs Herz im Leibe lach,
au en Schunke,
daß i wieder heim kan klunke.
Noch e Brotwurscht, groß un krumm,
dreimol um de Ofe rum,
un dann in mei Säckli nei,
s'mueß e rechti Brotwurscht sei.
Gen mers aber bald,
i mueß noch dur'nen finstre Wald.
Stellt des Säckli dann in Garte,
bis is hol mien ihr halt warte.
B'hüet euch Gott, un lebet wohl,
jetzt isch mi Briefli voll.

Nun gab es in der Stube ein großes Rätselraten, wer der Säcklestrecker wäre. Die Bäuerin legte eine Schlachtgabe ins Säckle und befestigte die Stange ein bißchen, damit der Abholer es nicht so leicht hatte, unerkannt zu entkommen.
Dieser beobachtete von seinem Versteck aus das Fenster und versuchte dann, ungesehen sein Säckle wegzuholen. Hatte man ihn erwischt, so wurde er mit Hallo in die Stube gezerrt und kräftig ausgelacht. Manchmal wurden ihm auch spaßige Strafen auferlegt.

Der Strohschuh-Toni

Die meisten von euch werden die Legende kennen vom heiligen Martin, der durch eisige Nacht ritt und einen frierenden Bettler am Weg fand. Er teilte seinen Mantel mit ihm. Noch heute machen die Kinder in diesem Angedenken einen Laternenumzug und singen Martinslieder.

Aber auch dem Bauer war es immer ein denkwürdiger Tag. Das Gesinde wird zu diesem Datum ausbezahlt, Pachtgeld ist zu entrichten, Zinsen sind zu zahlen, Schulden zu begleichen. Die Ernte ist eingebracht, alle Arbeiten draußen sind getan, das bäuerliche Jahr endet mit dem Zahltag an Martini. So werden an Martini auch gerne Jahrmärkte abgehalten. Zum Martis-Märkt in Haslach kommt das Gesinde aus der Umgebung ins Städtchen. Die Haslacher wissen das, und die Metzger richten mehr Bratwürste und die Bäcker mehr Wecken als an einem anderen Markt. Denn die Hirten-Völker bekommen da die einzige Bratwurst im Jahr, oft die erste im Leben, und auf die Wecken freuen sie sich schon im Sommer und Herbst, wenn sie einsam auf den Bergen in der Nähe der Herden beieinandersitzen und vom Martis-Märkt reden.

Zwar macht jeder Bur, so oft er metzget, auch „Bratwürst", aber nur für sich, den Fürsten im Hause, oder für Besuche, die aus dem Städtle kommen; ein Hirtenbüble darf nicht einmal an des Buren Bratwürste „schmecken" (riechen) oder daran denken. Die werden im Rauch getrocknet und dann in der Schatzkammer des Buren, im Speicher, im vollen Kornkasten versteckt. Die „Völker" (Knechte, Mägde, Hirten) kommen aber zum Martis-Märkt nicht bloß der Bratwürste und Wecken halber, sondern um sich neu zu „verdingen" (eine Anstellung zu suchen, für das neue bäuerliche Jahr). Am Martis-Märkt werden die „Völker" frisch gedungen, sei es vom alten, sei es von einem neuen Herrn.

Jedes Völkle erhält ein Haftgeld; eine Summe von drei bis fünf Mark, zum Zeichen, daß es dem, der es gedingt hat, haftet, ihm also Wort hält und an Weihnachten oder Anfang Januar den Dienst antritt. Reut es das Gedungene, so hat es das Haftgeld doppelt zurückzugeben, und es ist wieder frei. Vom Martis-Märkt an kam an jedem Winter-Markttag der „Strau-Toni" mit seinen Strohschuhen auf dem Rükken; große und kleine, schön eingefaßt mit roten und grünen Zeugstreifen. (Zeuglestoff = bedruckter Baumwollstoff). Ich aber durfte ihm alljährlich ein paar Strohschuhe abkaufen, in denen man so leicht ging wie auf Engelsflügeln, und die man ohne Schaden im Streit mit seinen Altersgenossen einem oder dem anderen an den Kopf werfen konnte.

Der Toni hatte, wenn er anrückte, ganze Legionen von Strohschuhen vorn und hinten über seine Schulter herunterhängen und versah jung und alt im Städtle mit seiner erwärmenden Ware.

(nach Heinrich Hansjakob 1837–1916)

Als die Urgroßeltern in die Schule kamen.

Der erste Schulgang ist und war für jedes Kind ein Ereignis. Früher stifteten die Paten hierzu dem Kind ein neues Gewand. In Mühlenbach (Haslach) gab man dem ABC-Schützen vor dem Schulweg zur Kräftigung ein Karfreitagsei zu essen. Das ist ein Ei, das am Karfreitag gelegt wurde. Karfreitagseier sollen ungewöhnliche Kraft verleihen. In dieses Karfreitagsrührei streute man dem Schulanfänger die Fitzelchen eines kleingehackten Zettels, auf den man die großen und kleinen Buchstaben des Alphabets geschrieben hatte. Dann hieß es: „auf in die Schule!"

Die Kinder von abgelegenen Einzelhöfen wurden am ersten Schultag begleitet. Von da an wanderten die Kinder jeden Tag mit einem Stück Brot und Speck als „Nüniessen" (Neun-Uhr-Essen) im Ranzen über Stock und Stein, durch Busch und Wald, oft ganz allein oder mit Kindern vom Nachbarhof, hinab zur Schule. Je weiter sie ins Tal kamen, desto mehr Kinder schlossen sich ihnen an. Unterwegs reizten im Sommer die Bäche, Wälder und Tiere die Knaben zu allerlei Unternehmungen, und die Mädchen sprangen den Blumen nach. Im Winter mußte der Bauer mit seinen Knechten oft in aller Frühe heraus, um den Bahnschlitten durch den Schnee der Hohlwege und Schluchten bergabzuschleppen. Die kleinen Buben und Mädle zottelten in ihrem blauen Zwilchhäs frierend hinterdrein. In der Nachmittagsdämmerung kehrten sie keuchend zum einsamen Berghof zurück. Und wo die Bahnschlitten die engen Pfade nicht gangbar machen konnten, zogen sie im Gänsemarsch durch den Schnee, der älteste und stärkste Bub als Stampfer voraus, um eine Gasse zu bahnen. War er müde, so sprang sein nächster Hintermann vor, bis alle todmüde in der kalten Kirche ankamen, wo sie vor dem Unterricht die heilige Messe anhören mußten. (Dies ist auch heute noch in manchen Pfarreien üblich.) In Tennenbronn (Triberg) kauften sich die Kinder beim Schreiner die Schulkisten, die, mit dem Namen der Besitzer versehen, gewöhnlich als Ranzen aber zur Schneezeit an geeigneten Stellen auch als Schlitten dienten. Laut jauchzend sauste dann der „Kistenfahrer" zur Schule hinab. Manche konnten über Mittag nicht zum Essen heimgehen und verspeisten ihr kaltes Mittagessen, Brot, Äpfel und rohen Speck in der Schulstube, oder wo es sonst warm war.
Aber wenn sie heimkamen, fanden sie im „Öfele" noch etwas Warmes. Nach dem Essen wartete dann allerhand Hausarbeit auf sie.

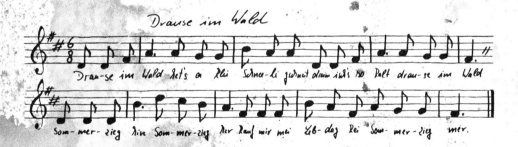

Drause im Wald

Drau-se im Wald het's a klei Schnee-li gschneit drum isch's so kalt drau-se im Wald

Som-mer-zieg hin Som-mer-zieg her kauf mir mei Leb-dag kei Som-mer-zieg mer.

1. Drause im Wald
   het's a klei Schneeli gschneit,
   drum isch's so kalt
   drause im Wald.
   Sommerzieg hin, Sommerzieg her,
   kauf mir mei Lebdag
   kei Sommerzieg mer.

2. Mich friert's an d'Händ,
   wil i keini Händschick hab,
   mich friert's an d' Händ
   un an d' Fiäß au.
   Sommerzieg...

3. D' Sunne isch do,
   guck wie mi Kindli lacht,
   d' Sunne isch do,
   jetz sim mer froh!
   Winterzieg...

Pergamentpapier,	500 g Zucker	4 Eier	abgeriebene Zitronenschale (nicht behandelt)	Model 1 Messerspitze Pottasche	500 g Mehl	3 El. Anis.

Springerle aus eigener Herstellung

Jetzt wird es höchste Zeit, Springerle zu backen, damit sie bis Weihnachten weich sind. Zur Verzierung braucht ihr einen oder mehrere schöne Model. Das sind kleine Holzplatten, in die vertieft hübsche Bilder geschnitzt sind. Wenn man die Model auf den Springerleteig aufdrückt und wieder abnimmt, stehen die Bildmotive auf dem Teig erhöht.

Vielleicht habt ihr noch Model von eurer Großmutter. Wenn ihr Spaß am Schnitzen habt, könnt ihr euch selbst Holzmodel machen. Ansonsten habe ich noch eine andere Idee. Kennt ihr Fimo oder Keramiplast? Das sind Modelliermassen aus dem Bastelladen, die

durch Trocknen an der Luft oder im Backofen härten. Von solch einer Masse formt ihr 2–2,5 cm starke Platten. Mit dem Löffelstiel, dem Messerrücken, einer Stricknadel und ähnlichen Werkzeugen drückt ihr ein Bild ein bzw. kratzt es heraus. Macht es nicht zu tief und anfangs nicht zu schwierig! Ihr könnt einen großen Model mit mehreren Bildmotiven anfertigen, mit dem ihr einige Springerle zugleich verzieren könnt, oder einen kleineren Model für ein einzelnes Springerle. Härtet die Modelliermasse nach Anleitung und lackiert sie, wenn nötig, mit wasserfestem Klarlack. Aus Ton könnt ihr natürlich auch Model basteln. Ihr müßt die Tonmodel aber nach dem Trocknen noch brennen lassen.

Das Backen:

500 g Zucker rührt man in einer Schüssel mit 4 Eiern schaumig. Dann gibt man die abgeriebene Schale einer Zitrone, 1–2 Teelöffel Anis und 1 Messerspitze voll Pottasche dazu. (Pottasche ist ein Triebmittel, ihr erhaltet es im Lebensmittelgeschäft in kleinen Tütchen bei den Gewürzen oder in der Apotheke.) Nach und nach das Mehl darüber sieben und gut durchkneten. Der Teig wird fingerdick ausgewellt.

Eure Model pinselt ihr dünn mit Mehl ein, dann drückt ihr sie auf den ebenfalls leicht bemehlten Teig. Haben sich die Figuren deutlich abgedrückt, nimmt man die Formen ab, schneidet die verzierten Teigfleck- chen mit dem Messer aus und legt sie auf ein mit Butter bestrichenes Blech.

Noch nicht backen! Die Plätzchen müssen jetzt an einem mäßig warmen Ort ohne Zugluft einen Tag trocknen.

Ehe ihr sie am anderen Tag in den Backofen schiebt, bepinselt ihr sie an der Unterseite ein bißchen mit Wasser, damit sie schöne „Füßle" kriegen. Bestreut ein gefettetes Blech mit Anis, setzt die Springerle darauf und bedeckt sie mit Pergamentpapier. Backt sie auf der mittleren Schiene bei 150°, etwa 20 Minuten. Springerle sollen oben weiß bleiben und unten hellbraune Füßchen bekommen. Bewahrt sie drei Wochen in Blechdosen auf, bis sie weich geworden sind.

Seltsame Nikolausgestalten ziehen durch Steinach

Der rechte, der Rupelz trägt eine Kappe aus Hasenpelz und eine Felljacke. Vor dem Gesicht trägt er eine schwarze Larve, und durch den breiten Ledergürtel hat er Schilfstengel gesteckt. Eine rasselnde Kette und eine Rute geben ihm ein furchterregendes Aussehen. Er ruft immer: „Gwieg, gwieg..." und manchmal bespritzte er in früherer Zeit die Mädchen mit Wasser.
Ähnlich sonderbar und unheimlich nimmt sich der Klausenbigger aus. Er ist halb Mensch, halb Tier; denn er trägt einen Pferdekopf. Von weitem hört man schon sein furchterregendes: „Brr, Brr...". Beide Gestalten stammen aus dem Heidentum, einer vergangenen Zeit des Götter- und Geisterglaubens, in der man im Winter überall Dämonen vermutete. Man imitierte sie und machte dabei einen Höllenlärm, um ihnen Angst einzujagen und sie in die Flucht zu schlagen. Die beiden „Santiklausen" in der Mitte sind die guten Nikoläuse, in weißen Gewändern, die Mitra auf dem Kopf, den Bischofsstab in der Hand und den Gabenkorb auf dem Rücken. Sie kommen mit den beiden wilden Gesellen in die Häuser zu den Kindern, um festzustellen, ob diese artig waren und Äpfel und Nüsse erhalten sollen, oder ob sie sich eher vom Rupelz ein paar Streiche mit der Rute verdient haben.

Santiklaus i bitt di
schenk mir au e Ditti (Püppchen)
aber eins wo Bärbeli heißt
sunsch begehr i gar keins.

Kerbhölzer und Klausenwecken

Schon Wochen vor Nikolaus wurden „Kerbhölzer" mit
dem Küchenmesser geschnitten, wahre Plagehölzer für
uns; denn sobald sie fertig waren, begann das allabend-
liche Beten. In einer dunklen Ecke saß das kleine Menschenkind, das Kerbholz zwischen den Händen, und
betete je fünf Vaterunser und den Glauben, und so oft
dies Thema abgebetet, ward eine Kerbe ins Holz geschnitten. So ging's fort, bis vor Müdigkeit die Äuglein
zufallen wollten; dann ward das Holz in die Tischlade
gelegt und der Leib des Beters ins Bett. Wir beteten aus
Furcht vor dem „Santi Klaus"; denn er kam, um an un-
sern Kerbhölzern Gericht zu halten, wieviel wir gebetet hätten. Mit ängstlicher Gewissenhaftigkeit wurden
„die Kerbe" geschnitten; mehr zu schneiden, als es gebetet, wagte keines von uns auch nur zu denken.
Sobald es Nacht geworden am 5. Dezember, saßen die
Kinder jeder Familie um den väterlichen Tisch, jedes
sein Kerbholz vor sich liegend und unter Herzklopfen
der Dinge wartend, die da kommen sollten. Wir er-
schraken fürchterlich, wenn vor der Türe ein Ketten-
gerassel die Ankunft des „Santi-Klaus" verkündete.
Und nun öffnete sich die Pforte, und herein trat der
Richter des Kinderhimmels. Von seinem Angesicht
wallte ein langer Bart, seine Augen rollten, Kettenge-
klirr folgte seinen Schritten, und eine große Rute in der
Hand, trat er an den Tisch, wo die armen Sünderlein
zitterten und als einzige Waffe dem Weltenrichter das
Kerbholz entgegenhielten. Er zählte die Einschnitte,
fragte die Eltern nach dem Benehmen des Kindes im
Hause, und je nach Befund gab es mehr oder weniger
Äpfel und Nüsse aus seiner Tasche oder einige Ru-
tenstreiche. Mit der Mahnung, brav und folgsam zu
sein, ging er von dannen. Das Gericht war überstan-
den. Aber jetzt begann der zweite Teil. Jedes Kind holte
einen Teller in der Küche und stellte ihn auf den Tisch
– in der sicheren Gewißheit, daß am anderen Morgen
der Teller gefüllt war mit Äpfeln, Lebkuchen und
„Klausenwecken". So geschah es, und der Klaustag
wurde dann zum Festtag."
(von Heinrich Hansjakob)

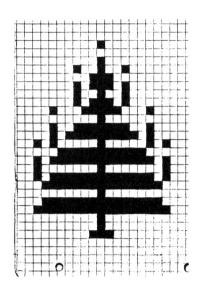

Am Weihnachtsbaume die Lichter brennen

Mit einfachen Kreuzstichen kann man viele hübsche Dinge machen, z. B.: Servietten oder Taschentücher zieren, ein Deckchen für den Brotkorb, ein Überhandtuch für die Küche schmücken, man kann Tischdekken, Blusen, Borten für Röcke oder Gardinen besticken...

Es gibt wirklich zahllose Möglichkeiten. Zum Bestikken eignet sich jeder Stoff mit Leinenbindung. Der gröbste ist Stramin; den könnt ihr z. B. für einen Gürtel nehmen oder für ein Lesezeichen. Dann gibt es Rupfen oder Sackleinen. Für Tischwäsche eignet sich Leinen oder Halbleinen, für Borten auf Blusen und Röcke gröbere Baumwolle oder Nessel.

Das Schönste daran ist, daß ihr euch die Muster selbst entwerfen könnt. Betrachtet einmal so ein Leinengewebe; es ist in lauter Karos eingeteilt genau wie euer Rechenpapier. Auf dem Rechenpapier könnt ihr die einzelnen Kästchen ausfüllen – das werden später die Kreuzstiche. Fangt mit einfachen Dingen an, denn ihr dürft nicht vergessen, daß ihr das Haus, Schiff, Pferd usw., das ihr aufmalt, nachher auszählen und sticken müßt! Vielleicht probiert ihr es erst mal mit einem Monogramm für ein Taschentuch oder mit einem Christbaum für die Weihnachtsservietten.

Wollt ihr euer Muster in den Stoff sticken, so müßt ihr nicht denken: 1 Karo auf dem Papier wird ein Stoffkaro. Da würde euer Muster ganz winzig werden. Ihr könnt über 3 oder mehr Fäden gehen. 3 Fäden waagerecht bedeuten aber auch 3 Fäden senkrecht – die Kreuzstiche müssen ja immer ein Quadrat aufspannen. Lassen sich die Fäden eures Stoffes schwer zählen, so heftet einfach Stramin auf den Stoff. Nach Beendigung eurer Arbeit zieht ihr die Straminfäden zwischen Strickerei und Stoff einzeln heraus.

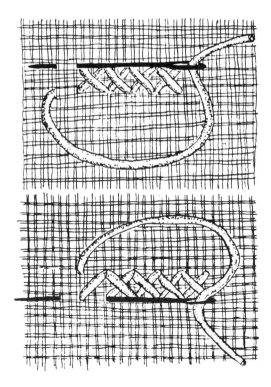

Klöpfelnächte – Bosselnächte

Klöpfelnächte oder Bosselnächte nennt man die drei
Donnerstage vor Weihnachten. An diesen Abenden
ziehen Mädchen und Burschen oft vermummt durchs
Dorf, klopfen lärmend an Haustüren, werfen Erbsen,
Bohnen oder Linsen, bei unlieben Leuten auch kleine
Steinchen, ans Fenster und sammeln Gaben ein. Dieser Brauch ist heidnischen Ursprungs. Die alten Germanen glaubten, die Winterzeit sei die Zeit der Dämonen und bösen Geister. So haben sie etliche
Bräuche entwickelt, um diese zu verjagen. Die Altvor-
deren vermummten sich selbst und lärmten.
Die Donnerstage aber waren dem Gott Donar geweiht,
und die Hülsenfrüchte galten als Lieblingsspeise der
Götter. Die Bäuerin steckt bis heute Bohnen, Erbsen
und Linsen am liebsten donnerstags, weil sie meint,
sie gingen dann besser auf.

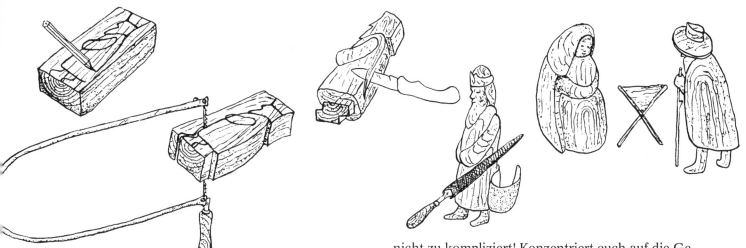

Einfache Krippenfiguren aus Holz geschnitzt

Wenn ihr Euch im Sommer mit dem Taschenmesser
etwas geübt habt, so könnt ihr jetzt eure Weihnachtskrippe mit selbstgeschnitzten Figuren ausstatten. Sehr
gut läßt sich Lindenholz bearbeiten, es ist aber sehr
teuer. Vielleicht findet ihr beim Schreiner Abfallstücke
von anderem nicht zu hartem Holz. Eichenholz solltet ihr nicht nehmen; das ist wirklich zu hart. Die Bretter müssen aber dick sein, denn die Figuren sollen ja
plastisch werden.
Zunächst zeichnet ihr die Seitenansicht eurer Figur auf
das Brett; dann sägt ihr mit der Laubsäge die äußere
Form aus. Schön langsam sägen und die Säge ganz
senkrecht halten! Habt ihr das Sägeblatt richtig einge-
spannt? Die Zähne müssen immer nach unten zeigen.
Nachdem ihr die grobe Form ausgesägt habt, arbeitet
ihr mit dem Taschenmesser weiter. Macht die Figuren

nicht zu kompliziert! Konzentriert euch auf die Ge-
samtform, dann werden sie schöner, als wenn ihr an
kleinen Details herumschnipfelt. Rundungen und ähnliches, die ihr mit dem Taschenmesser nicht erreicht,
könnt ihr feilen. Zu guter Letzt schmirgelt ihr die Figur schön glatt, erst mit gröberem, dann mit feinem
Schmirgelpapier.
Wer will, kann seine Figuren bemalen. Oft ist aber
auch die Farbe des Holzes allein schon sehr schön.

Die Weihnachtskrippe
Erzählung von Heinrich Hansjakob

„Da lebte im Kloster, das den armen Leuten als Woh-
nung diente, der alte Pfrengle, welcher das schönste
Krippele besaß. Die Figuren trugen alle schöne, fleisch-
farbige Wachsgesichter und Haare von Flachs, seine
Hirten schwarze Hosen und Fräcke und der ‚Gloria-
Engel‘ hatte einen himmelblauen Mantel an, mit
Sternen besät, und Beinkleider von weißem, feinem
Stramin. Aber das Kabinettstück seiner Krippe war der
‚Waldbruder‘, welcher vorne am Rande der Krippe
seine Klause hatte. Mit dem Kindlein im Stall teilte dieser Waldbruder unser Herz und unsere Augen. Er war
mit einem schwarzen Talar bekleidet, umgürtet mit einer Schnur aus Pferdehaaren, hatte einen Riesenbart
und auf dem Kopfe einen Zylinder; in der Hand aber
hielt er einen leeren Beutel. Und dieser Beutel war des
Herrn Pfrengle ‚Christkindle‘; denn da opferte jedes
Kind für seinen Zutritt zur Krippe einen Kreuzer.“

Christkindele, Christkindele,
kumm dü züe uns erin.
Mer han e frischs Heubindele
un au e guetes Gläsele Win.
E Bindele fir's Esele,
fir's Kindele e Gläsele,
un bätte kenne mer au,
un bätte kenne mer au.

Krippenfiguren aus Stoff und Draht

Die Körper der Figuren bestehen aus einfachen Draht-gestellen. Ihr umschlingt dafür zwei oder mehrere Drähte fest miteinander. Für ein Schaf bastelt ihr ebenso ein Gestell mit vier Beinen, Schwanz und Kopf, umwickelt es dann aber zusätzlich mit Draht, um das Volumen des Tiers zu bekommen.

Die menschlichen Figuren werden körperhaft durch einfache Stoffgewänder, die ihr ihnen nähen könnt. Natürlich bekommt das Schaf auch noch etwas an. Aus kleinen Pelzresten, aus einem Stück Strickstoff oder aus aufgeklebten Wollfäden könnt ihr ihm ein Fell machen.

Köpfe und Hände der Menschen bastelt ihr ganz leicht, indem ihr Wattebäusche zu Kugeln formt und sie mit einem Stück Perlonstrumpf oder Futterstoff überzieht. Das ganze stülpt ihr über den Drahthals bzw. die Drahtarme und bindet es mit einem Draht oder Fa-den ganz fest. Die Haare können aus Watte, Wolle oder Pelzresten sein. Gesichter sind leicht mit weni-gen Stichen hineingestickt: Zwei Punkte als Augen, ein kleiner Bogen als Nase, ein etwas größerer als Mund.

Der Heilige Abend

Mit Spannung erwartet ihr gewiß alle die Bescherung, und ihr seid alle ganz sicher, daß es eine geben wird. Das ist aber noch gar nicht sehr lange so Sitte. Bis vor nicht allzu langer Zeit hat der Nikolaus die Gaben gebracht. Das waren Äpfel, Nüsse und Lebkuchen, vielleicht auch mal ein Püppchen. Bei den Paten durften die Kinder sich dann noch den Klausenwecken oder Klausenmann abholen. Am Heiligen Abend gab es keine Geschenke. Und doch war die Christnacht voller Wunder. Die Wohnräume besprengte man mit Weihwasser und räucherte Stube, Kammern und Ställe aus. Das sollte die bösen Geister vertreiben. Ebenfalls um sich vor bösen Geistern zu schützen, aß man gut und reichlich; denn „Essen und Trinken" hält Leib und Seele zusammen. Man sagt auch: Wer in der Christnacht um Mitternacht Farnsamen sammelt und in die Schuhe legt, wird unsichtbar. Wer während des Mitternachtsläutens die Obstbäume schüttelt und mit Strohseilen umwickelt, kann im neuen Jahr reichlich ernten.

Nach altem Väterglauben geschehen Wunder über Wunder in der Heiligen Nacht: „Wasser wird zu Wein und alle Bäume zu Rosmarein" heißt es. Und wenn man sagt, daß in der Weihenacht die Apfelbäume Blüten tragen und Rosen bei kalter Winternacht aufleuchten, so fallen uns doch Lieder ein wie „Es ist ein Ros entsprungen" oder „Maria durch ein Dornwald ging". Dem Wasser, das um die Mitternachtsstunde am Heiligen Abend aus den öffentlichen Brunnen fließt, wurde von alters her eine heilsame Wirkung nachgesagt. In Endingen zum Beispiel versammeln sich eine Viertelstunde vor Mitternacht die Leute mit Krügen um die Dorfbrunnen, um beim Glockenschlag um zwölf das „Heiligwog" zu schöpfen. Bis es soweit ist, singen sie Weihnachtslieder. Mit dem ersten Glockenschlag fangen sie zu schöpfen an; beim zwölften Schlag muß jeder etwas in seinem Krug haben. Sie singen noch ein Weihnachtslied, dann trägt jeder seinen Krug mit dem heiligen Wasser nach Hause. Sie klopfen zu Hause an die Tür und rufen:

„Heiligwog, Gottesgob! Glick ins Hüs, Unglick nüss!" Jeder der Anwesenden, angefangen beim Ältesten, trinkt drei Schluck direkt aus dem Krug im Namen der Dreifaltigkeit. Ein Schluck vom Heiligwog kommt ins Weinfaß und einer in die Viehtränke.

Man erzählt sich auch folgendes: Wenn man sich auf dem Heimweg vom Heiligwogholen einen Wunsch ausdenkt, und dann an den Fenstern fremder Häuser lauscht, so geht er in Erfüllung, wenn man von drinnen zuerst ein „Ja" hört.

Inmitten der Nacht

In mit-ten der Nacht als die Hirt-en er-wacht da
hör-te man klin-gen und Glo-ri-a sin-gen ein'
eng-li-sche Schar. Ja, ja ge-bo-ren Gott war.

1. Inmitten der Nacht,
als die Hirten erwacht,
da hörte man klingen
und „Gloria" singen
ein' englische Schar.
Ja, ja, geboren Gott war.

2. Die Hirten im Feld
verließen ihr Zelt.
Sie gingen mit Eilen,
ganz ohne Verweilen
dem Krippelein zu
ja, ja der Hirt und der Bu.

3. Sie fanden geschwind
das göttliche Kind.
Es herzlich zu grüßen,
es zärtlich zu küssen
sie waren bedacht,
ja, ja, die selbige Nacht.

4. Es lächelt sie an,
so lieb als es kann.
Es will ihnen geben
das himmlische Leben,
die göttliche Gnad,
ja, ja, und was es nur hat.

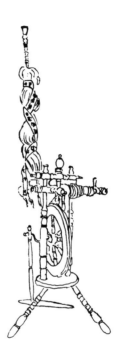

Vom Heiligen Abend an bis zu Dreikönig rechnet man die zwölf Rauhnächte. Rauchnächte heißen sie auch, weil man Haus und Hof zum Schutz gegen dämonische Einflüsse ausräucherte. Ihr vermutet richtig, wenn ihr auf einen Brauch germanischen Ursprungs tippt. Wie wir schon bei anderen Bräuchen erkannt haben, fürchteten sich nicht nur die Germanen sondern auch unsere nicht so weit entfernten Vorfahren vor den Umtrieben der Geister und Dämonen in der kalten, lichtarmen Zeit, besonders in den Rauhnächten. Waren auch unsere Urgroßeltern gute und sehr gläubige Christen, so hatten doch die alten Sagen und Mythen Einfluß auf sie. Sie ließen sogar das Spinnen in den zwölf Rauhnächten bleiben. Denn mit dem wilden Heer brausten auch Frau Holle und Perchta, „die leuchtende Spinnfrau", durch die Luft und untersuchten die Spinnrocken der Mädchen. Bemerkten sie, daß das Mädchen in der Sperrzeit daran gearbeitet hatte, so verwirrten sie die Arbeit heillos.

Attraktion an der Weihnachtskrippe

Sicherlich kennt ihr die Weihnachtsgeschichte genau und wißt, warum es ein „Fest der Unschuldigen Kindlein" gibt.

Die Weisen aus dem Morgenland hatten den Stern gesehen und waren nach Jerusalem gekommen. Sie fragten, wo der neugeborene König der Juden sei, sie seien seinem Stern gefolgt.

König Herodes schickte sie nach Bethlehem und sprach: Zieht hin und forscht fleißig nach dem Kindlein; und wenn ihr's findet, so sagt mir's wieder, daß auch ich komme und es anbete. Aber Gott befahl den Weisen im Traum, nicht wieder zu Herodes zurückzukehren. Als Herodes nun sah, daß er von den Weisen betrogen war, wurde er sehr zornig und ließ alle Kinder in Bethlehem töten und in der ganzen Gegend, die zweijährig und darunter waren. (Matthäus).

Im Schwarzwald kannte man den geschmückten Tannenbaum früher nicht. Die Krippe war Mittelpunkt der weihnachtlichen Stube. Gewöhnlich stellte man sie im Herrgottswinkel auf und umgab die Figurengruppe im Hintergrund mit Tannenreisig, das mit Papierrosen, Engelshaar, Flittergold und farbigen Oblaten geschmückt war. Oft waren die Figuren selbstgeschnitzt, und der Stall wurde mit einer knorrigen Baumwurzel angedeutet. Noch heute ist es üblich, die Krippen der Nachbarsleute aufzusuchen und gebührend zu bestaunen. Und am „Fest der Unschuldigen Kindlein" sind die Krippen um eine große Attraktion reicher; denn da werden die Figuren der „Kindlesmörder" hinzugestellt, schauerliche Gesellen mit grimmigem Aussehen.

Die Nacht der Orakel

In manchen Schwarzwalddörfern ziehen die jungen Burschen vor die Häuser angesehener Bürger und singen diese Lieder und Glückwünsche für das neue Jahr. Zum Dank dafür werden sie dann von ihnen bewirtet. In anderen Orten verbringen die Burschen und Männer die Silvesternacht in den Wirtshäusern, wo sie Neujahrsbrezeln auswürfeln, während die Frauen zu Hause beten. Wieder anderswo verbringen die Familien gemeinsam die Silvesternacht. Da wird viel orakelt. Man kann Blei gießen, oder man gießt Eiweiß auf Wasser. In den bizarren Gebilden sieht man dann den Beruf des Zukünftigen, oder was immer man befragt. Die jungen Mädchen werfen einen Schuh hinter sich.

Zeigt er mit der Spitze zur Tür, so steht ihnen im kommenden Jahr die Hochzeit bevor. Den Bauern interessiert das Wetter. Für jeden Monat schneidet er einen Zwiebelring. Am anderen Morgen prüft er, wie trocken oder feucht jeder Zwiebelring ist und also der entsprechende Monat werden wird.

Hüt isch Silvester un morn isch Neujohr.
Gänd mir au Öppis zum guete Neujohr!
Gänd ihr mir nüt, so stohn i do (steh ich da)
bis ihr mi heißed witers goh (weiter gehen)

Hüt isch Silvester un morn isch Neujohr
Gänd mir au Öppis zum guete Neujohr!
Gänd mir's denn zum Fänster us,
denn gohn i vor es anders Hus.

Hohwölfele machen

Eine besonders schöne Familienbeschäftigung am Silvesterabend ist das Hohwölfele machen. Aus Roggenmehl und Schnitzbrühe werden verschiedene Figürchen wie Hunde, Schweine, Füchse, Wölfe, Katzen, Kühe, Schafe, Ziegen, Hirsche, Hasen, Hähne und Fabelwesen geformt.

Schnitzbrühe ist das süßlich fruchtige Wasser, das man erhält, wenn man Dörrobst weichkocht.

Aus einem Stück Teig fertigt man die Figürchen, die man auf einem Brett steif und trocken werden läßt. Am anderen Morgen werden sie im Öl gebacken. Sie erhalten eine hübsche rotbraune Farbe. Früher wurden sie als Glücksbringer verschenkt und wohl auch verzehrt. Wer Hohwölfele im Haus hatte, war vor Blitz und Unwetter geschützt und hatte auch sonst Glück. So stellte man sie aufs Fensterbrett, auf den Schrank, auf das Bücherbord über der Tür oder in den Herrgottswinkel.

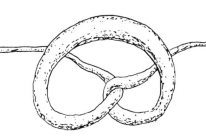

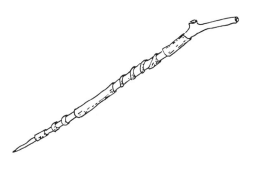

Quellenangaben

An dieser Stelle möchte ich all denjenigen, die dieses Buch möglich gemacht haben, ein ganz großes Dankeschön sagen. Ob es ein altes Liedchen war, das mir jemand vorsang, oder eine kleine Bastelei aus Kindertagen, ein Hinweis auf einen alten Brauch, alles war wichtig und gut; denn dieses Buch hätte sonst in dieser Form nicht entstehen können.

Besonders danken möchte ich dem Küfermeister Werner Burkhard, der Kränzlemacherin Walburga Dieterle, Frau Lieser-Eckstein, der Lektorin Waltraut Hermuth, der Trachtennäherin Brunhilde Huber, Frau Ursula Hülse, der Vorsitzenden des Bundes Heimat und Volksleben, dem Schriftsteller Gerhard Jung, der Familie Albert Kopf, Herrn Krafcyk vom Trachtenmuseum Haslach, Frau Frieda Müller und Familie, der Schäppelmacherin Rosa Schneider, dem Forstdirektor Oswald Schoch, Herrn Franz Schüssele, Herrn Sonntag von der Glashütte Wolfach, dem Maskenschnitzer Josef Tränkle, Herrn Walter vom Freilichtmuseum Vogtsbauernhöfe, Schwester Marie Wildenstein, Professor Hans-Peter Willberg und nicht zuletzt meinem Vater.

Nachfolgend ist Literatur aufgeführt, die ich hier und da zu Rate zog.

Krummer-Schroth, Ingeborg: **Alte Handwerkskunst im Schwarzwald.** Freiburg: Schillinger, 1976

Schoch, Oswald: **Der Wald und alte Waldgewerbe um Enzklösterle.** Enzklösterle: Selbstverlag, 1985

Seymour, John: **Vergessene Künste, Bilder vom alten Handwerk.** Ravensburg: Otto Maier, 1984

Garland, Sarah: **Das große BLV Buch der Kräuter und Gewürze.** München, Wien, Zürich: BLV, 1984

Sazenhofen, Carl-Josef von, Wiegand, Horst: **Gerätefibel Feld Garten.** München: L. Staackmann

Seymour, John: **Leben auf dem Lande.** Ravensburg: Otto Maier, 1981

Muettersproch-Gesellschaft: **Alemannisch dunkt us guet.** S'Kinderversli Heft III/IV. Freiburg: Selbstverlag, 1981

Enzensberger, Hans Magnus: **Allerleirauh – viele schöne Kinderreime.** Frankfurt a. M.: Suhrkamp, 1961

Schüssele, Franz: **De Hans im Schnoogeloch – alemannische Lieder.** Gundelfingen: Werkstättli-Verlag, 1982

Gloor, Elisabeth: **Kinderwerkstatt Holz.** Ravensburg: Otto Maier, 1983

Stöcklin-Meier, Susanne: **Naturspielzeug.** Ravensburg: Otto Maier, 1982

Leszner, Eva Maria: **Wir entwerfen Muster.** Rosenheim: Rosenheimer Verlag, 1979

Braunstein, Hermann: **Chronik von Schutterwald.** Schutterwald: Gemeinde Schutterwald, 1974

Kuller, Siegfried: **Länderprofile: Baden-Württemberg.** Stuttgart: Klett, 1983

Kutscha, Gudrun: **Vom Steinzeitwall zur Ritterburg.** Heidelberg: Ueberreuter, 1980

Hecht, Ingeborg: **Die Welt der Herren von Zimmern.** Freiburg: Rombach, 1981

Klein, Diethard H.: **Badisches Hausbuch.** Freiburg: Rombach, 1980

Jung, Gerhard: **Der Hotzenschatz.** Bernau: Theatermanuskript, 1985

Bischof, Heinz: **Im Schnookeloch.** Sagen und Anekdoten aus Baden und Elsaß. Kehl, Straßburg, Lahr: Morstadt, 1985

Zingerle, I. u. J.: **Kinder- und Hausmärchen aus Süddeutschland.** München: Borowsky

Hansjakob, Heinrich: **Aus meiner Jugendzeit.** Freiburg: Rombach, 1960

Jaeger, Kurt S.: **Badischer Kuriositätenführer.** Königstein/Taunus: Athenäum, 1982

Meyer, Elard Hugo: **Badisches Volksleben.** Stuttgart: Theiss, 1984 (Reprint der Ausgabe von 1900)

Fehrle, E.: **Badische Volkskunde.** Frankfurt a. M.: Weidlich, 1979 (Reprint der Ausgabe von 1924)

Helm, Eve-Marie: **Hasenöhrl und Kirmesfladen.** München: BLV, 1984

Häuser. (Schülermaterial). Zeitschrift Kunst und Unterricht 84/1984. Seelze: Friedrich, 1984

Die Sage vom Vogtsbauernhof. Zeitschrift Häuser Nr. 2. Hamburg: Gruner u. Jahr, 1979

Der Schulkreis Offenburg. Heimatkundebuch. Lahr: 1899

Der Schwarzwald. Zeitschrift des Schwarzwaldvereins. Freiburg: 1983-85

Nördlicher Schwarzwald. Merian Heft 5/32. Jhg. Hamburg: Hoffmann u. Campe, (1979)

Südlicher Schwarzwald. Merian Heft 11/31. Jhg. Hamburg: Hoffmann u. Campe, (1978)

Schilli, Hermann: **Das Schwarzwaldhaus.** Stuttgart: Kohlhammer, 1964

Schilli, Hermann: **Vogtsbauernhof.** Museumsführer. Freiburg: 1968

Petzoldt, Leander: **Volkstümliche Feste.** München: Beck

Bischoff-Luithlen: **Von Amtsstuben, Backhäusern und Jahrmärkten.** Stuttgart, Berlin, Mainz: Kohlhammer, 1979